人生を変える

ゼロ時間労働

片山真一 著

はじめに

▼使われるだけの「労働」にうんざりしてませんか？

「お前は社長に好かれてないから、どれだけ成果出しても給料あがらないよ」

これが僕が毎月200時間のサービス残業の果てに、教えてもらった「この世の真実」でした。

これを教えてくれた上司には悪意があったわけではありません。

彼自身も「どれだけ頑張ってもそれは昇給には無関係」という「この世の真実」の被害者で……。ただそれを僕に教えてくれただけなのですからね。

いや、彼や僕に限りません。ふと周りを見渡すと、そんな「世界」の中で生きている被害者の人ばかりでした。

そう。被害者被害者被害者だらけ。

僕も上司も、この世のほとんどの人が被害者。

ビジネスパーソン、パートに行く主婦、派遣社員、みんな被害者。

頑張っても頑張っても与えられるのは死なない程度のお給料だけ。

あとはありがたい「おほめの言葉」でしょうか。


ほめられ、おだてられ、よくわからない役職につけられて責任だけが重くなり、気がつけばアホほど働かされて、見るのは家族の寝顔だけ。


（ああ、自分はいいように使われているな）。

（主任とか○○長とかなって、ちょっと偉くなった気持ちにさせられて、少しだけ役職手当をもらって、前よりさらに働かされている）。


この世の真実……。

「真面目に頑張っても報われない世界に僕らはいる」という真実。

そしてそれなのに**「真面目に頑張ることを強要される世界にいる」**という真実。

そんな真実になんとなく気がついてはいました。でも、認めたくなかった。

なぜなら、会社にとって自分がただの替えのきく駒であることを認めてしまうのが恐かったから。でも、認めずにただ頑張ってきた結果は……。

好きで好きでたまらない趣味の時間もなくなりました。

年に一度程度の旅行にすらもいけなくなりました。

転勤で恋人との時間も激減しました。


(最後にゆっくりお花見したのはいつだっけ?)。

(最後に家族でテーブルを囲んで話をしたのはいつだっけ?)。


あなたは、いつですか? そして、そんな労働にうんざりしてませんか?

まさしく「労働の労は、苦労の労」。僕はそんな「苦労だらけの」労働に、言葉通り、心底うんざりしていたのです。

しかし、とはいえ、ですよ。

だからと言って、いきなり自営業を始めると言ってもこれはこれで大変です。

なぜなら、自営業者になったところで、上手く収入につながるかわからないですし、上手く収入につながったところで、お客の機嫌を取らなきゃいけませんし。

これって、機嫌を取る相手が、会社の上司からお客に変わっただけじゃないですか？

でも、僕はそんな、誰かのご機嫌取り人生をやめにしたかったんですよね。

特に、自分を大切にしてくれるわけでもない、嫌いな人の機嫌を取って生きるのは。

機嫌を取るなら**他人ではなくて自分の機嫌を取って生きていきたい**のです。

合わない人とは会いたくない。きっとあなたもそうでしょ？

客だからと言って、クレーマーとか、会いたくないですよね？

ましてや、頭を下げて奴隷のようにペコペコしたくもないはずです。

それじゃせっかく自営業者になって、フリーランスとか呼ばれたとしても全然フリーじゃないわけです。

会社員時代と変わらず、うんざりするだけなのが目に見えていますから。

では、何をしたらいいのか？

どうすれば、こんな「苦労だらけの労働」から抜け出せるのか？

どうすれば「理想の働き方」にたどりつけるのか？　そこが問題ですよね。
ここに関して、僕が考える、理想の労働のポイントは三つあります。
ずばり。

- **やりたい要素**
- **やりがい要素**
- **お金要素**

です。
もう少し詳しくいうと、

- やりたい要素＝**自分がやりたいことをやる。やりたくないことをやらない。**
- やりがい要素＝**自分が求められていること。誰もあなたに求めてないことをやらない。**
- お金要素＝**金銭的に十二分なリターンがあること。自己犠牲のような働き方はしない。**

ということです。これ、今だから特にいえるのですが……。

多くの人がお金しかみていませんが、この「やりたい」や「やりがい」要素は非常に大事です。


これらがないといくら稼げても続きません。

そもそも、稼げるようになるほどの「頑張りたい！」という思いそのものがわいてきませんからね。

結果、稼げるはずの仕事でも全く稼げなくなったりします。


例えばですが、いかに高給だとしても僕は鉱山での肉体労働なんかは無理ですし、そこで一流になりたいなどと、どうやっても思えません。

もちろん人によっては天職だと思いますが、僕にとっては「やりたくない」仕事に入ります。

では、振り返るに当時の僕の「労働」はどうだったかというと。

・やりがい要素＝**ほぼゼロ。新規営業のノルマの圧力と部下のミスの尻拭いでストレ**

スばかり

・やりたい要素＝**なし。社長は僕を嫌っていたし、感謝されるどころか露骨に搾取されていた（笑）**

・お金要素＝**なし。将来的にもなし。４人家族の離散を真剣に考えないといけないほどの給料**

というわけで、これらが三つともが見事にゼロだった当時の僕は、うんざりうんざり、何もかもに、あらゆるものに、もううんざり！　という感じでした。

僕はただ、子供をお風呂に入れたり、運動会を見に行ったり、そんな普通の未来を生きたいだけだったんですけどね。でも、このままではどうやらそんな平凡でささやかな未来すら、やってきそうにないとわからざるを得ませんでした。

どうすれば、苦労から、労働から、解き放たれるのか。

どうすれば、この苦痛極まりない時間を「ゼロ」にできるのか？

あっちもダメ、こっちもダメ、何もかもダメ。

もう、どうすればいいかわからない。どんなルートをたどっても人生終わってしまう。

（オワタ！　オワタ！　オワタ!!）。

（俺の人生計画オワタ〜〜〜!!）。

てなもんです。


しかし、そんなふうに、「オワタ〜！」と悩んでいた時の頃です。

ある時僕に転機がやってきました。

その頃可愛がっていた新人君を、これまた営業時間外のサービス残業で研修していた時です。

ある日、彼がインフルエンザにかかり、それが、僕にもうつってしまったんですね。

しかし、幸か不幸か、数年ぶりのまとまった休みがとれたのです！

感染症にならない限り、まとまった休みがとれないとは、つくづくとんでもない会社でしたが。そしてこの休みが人生の大きな転機をもたらします。

事情はどうあれ、休みは休み。

当時、外出もできないのでなんとなくＹｏｕＴｕｂｅを見ていたら、ホリエモンが出ているＴＶ動画で（当時の僕にとっては）すごい情報に出逢ったのです！

この世には、ほとんど働きもせずに、１か月で１００万円以上稼ぐ人がいるというではありませんか！ しかも、特別な環境や能力・性格に恵まれたわけでもなく、僕僕と同じような環境や能力からはじまったにも関わらずにです！

「マジかよ！ 俺、残業200時間してもその1／4も稼げないんですけど……。どういうこと？」。人生に行き詰まっていたメンタルの状態もあり、貪りつくように動画を見ていると、どうやらそれは**「インターネットビジネス」**と言うものでした。

簡単にいうと、例えば「インターネット上で商品を販売したり紹介したりするサイト」を作るというようなことらしいと。

それを作るまでは大変だけど、作ったあとは、働かなくていいんです！ と。なるほど！ 素晴らしい！

事実ならですが。（笑）

当然、真っ先に僕はこう思いました。

（怪しい。怪しすぎる。いや、もはや怪しさMAXですな）。

（こんなことができるはずがない）。

（だけどこれが本当だったら？　毎日子供をお風呂に入れてあげられるな……）。

（ＴＶでやってるしホントかも？）。


だから僕は、この世界を覗いてみることにしました。半信半疑のままにです。セミナーをちょっと見てみたり、参加してみたり、懇親会に出かけてみたり……。

恐る恐る覗いてみるとそこは、まさにそれまで住んでいたのとは違う別世界が広がっていました。

会社員時代にあんなに夢見ていた、そして「そんなの無理に決まっているし、いるわけがない！」と何度も否定され、そして実際にほぼ出会うことのなかった年収1000万円の人がたくさん、ゴロゴロ、いや、ウジャウジャいました。

しかも皆さん、20代とかそのくらいの年代で、です。

そのうえ、年収のことを特別に話題にすることもせず、誰かに聞かれたらその時に答える程度でした。

同じような人はたくさんいるし、すごいことをやっていると思ってないので、いちいち自慢することでもない、ということなのでしょう。

（嘘!?　何これ？　どういうこと!?）。

目の前にある現実をすぐには信じることができませんでしたが、実際に、あの人もこの人もお金持ちなんですよね。信じるしかなくなってくるんです。

そして、そんな彼らの中にいると、ここではこれが普通なんだと価値観が変わってきました。

特にこれまでの世界と違うと感じたのは、そこは会社から搾取され、生かさず殺さずのしょぼい給料をもらうのではなくて、自分がやった分は誰にも搾取されることなく収入になる世界だったということです。

搾取されていることに自信のあった僕は、非常に心惹かれました。（笑）

なので、とりあえずやってみようと思ったんですね。

何より、詐欺だとしても、ほとんどお金がかからないのが、実に良い話に思えましたしね。

僕はどれだけ夢があっても、極端なリスクが必須であるものは嫌いなのです。

妻に2人の子供と、誰よりも大切な家族だっているわけですから。

というわけで、僕はビジネスパーソンをやりながら別世界に片足を突っ込んで、とりあえず1、2年やってみたのですね。

それでどうなったか?

最初の半年ほどはお小遣い程度の稼ぎで、さすがにそこまで甘くはないと感じましたが、手応えはつかんだのでそのまま続けました。

1年後には会社員時代の月収を超え、2年も経つ頃には月収100万円を超えてしまったわけです。

我ながら驚きですね。

5年経った今では月収1000万円を超える月もあります。

ちなみに、「片山さんには才能があったからだ!」とよく言われますが、そうじゃないと思ってます。

繰り返しになりますが、この世界にはそういう人がたくさんいたので。

僕が稼いだやり方も、大勢の人がやっていましたし、成果も出していましたから。

さすがに月収1000万円はそこまで多くはないけど、月収100万円の方々は毎年毎年、雨後の筍のごとく現れてきます。

その勢いは年々増すばかりで、最近では中学生とか高校生でも結構出てきているんですよ。

そのことを、僕は不思議なこととは思いません。

実際、「中学生でもできるよな！」とやりながら思っていることもたくさんありましたから。

それはさておき、こうして上手くいったので、うんざりしていた会社はもちろん辞められましたし、昨夜も2人の息子たちをお風呂に入れてあげられました。

それも**「苦労ゼロのビジネス」**で、です。

そう、僕はついに「労働をゼロ」にすることに成功したのですね。

今やっている仕事は、多岐に渡るので詳しくは後ほど語りますが、

・やりたい要素＝**無数にある。お客さんの相手も楽しいし、仕事の研究も楽しい。やりたくないことは一切していません。**

・やりがい要素＝**無数にある。感謝もされるし、紹介もされる。お客さんの質もいいし、**

世の中のためになってるなと実感できる。

・お金要素＝**十二分にある。先に挙げたように月収100万円は切らないし、1000万円を超えることもある。**

となっています。

やりたくないことはゼロ。やりがいのないこともゼロ。搾取される時間も、嫌いな相手に無理に頭を下げることも、ストレスも全部ゼロです。

実に楽しいですね！　しかし「仕事」とは本来、誰もがこうあるべきだと思います。「やりたい」も「やりがい」も「お金」もない。そんな**「苦労を伴う労働」**は**「ゼロ」**にすべきです。

減らすのではなく、完全なゼロに。

そして「やりたい・やりがい・お金」の三つの要素を完全に満たすべく仕事をつくった方がいい。

それが、僕が考え、そして教えてきた**「ゼロ時間労働」**です。

実際僕は、収益を上げていますが、労働時間は月収100万円の頃よりも減っています。

1日1時間すら作業しないこともザラです。

そして、空いた時間を好きなことに注いでいます。

しかも、この1時間も、より上を目指しているのと、仕事が楽しいからそれなりに時間をかけているだけですので、完全に今の月収を維持することだけを考えるなら、ゼロ時間……。時々メンテナンスをするだけで、寝ていたって収益は入ってくるでしょう。

ここまでくると、**ゼロ時間労働**どころか、**ゼロ時間ビジネス**です。

そして僕は、これが誰にでも到達可能な場所だと信じています。

実際、僕は、今までたくさんの人にビジネスを教えてきました。

それも、ただ教えるだけでなく「ゼロ時間労働」をゴールにするために伝えてきました。

それでわかったのは「やっぱり難しくない」ということ。そして「それが広まってほしい」ということです。

この本も、そういう思いに共感してくれた出版社さんからの要望がきっかけでできました。

最初は「僕が昔やったこと」を書こうかと思いましたが、正直それでは面白くないし、時代が違うので、今のベストかと言われると答えづらい。

なので、最新で、一番効率がよく「今、構築しているやり方」をシェアしようと思い、筆をとりました。

おそらくこの最新のやり方を実践し、かつ理論として語れる人は、非常に少ないでしょう。

というわけで、本題です。

では、どうやったら「ゼロ時間労働」の生活を手に入れられるのか？

それを知りたいとは思いませんか？

この本を手にとってくれたあなたには、第1章から、そっとお教えしたいと思います。

人生を変えるゼロ時間労働

目次

5章／サロンを活性化させる

201

1章

どうやったら「ゼロ時間労働」の生活を手に入れられるか？

実は、「お金だけのゼロ時間労働」で収入を作る方法はいくつもあるんですよね。株式の配当金、自動トレードシステムを使ったＦＸ、管理会社に全部お任せの家賃収入などは皆さんも知っていると思います。

ただ、お察しの通り、これらはある程度の元手がかかります。

リスクが高いのです。

つまり、ゼロからやろうとしたら莫大な借金をする可能性もあるわけですね。

下手したら１億円投資したら、なんと５０００万円になっちゃった、みたいな世界ですから。

僕にはこんなゲームはハラハラしすぎて耐えられません。しかもそのうえ、孤独です……。孤独なビジネスは結構辛いです！

マネーゲームをしたい人にはもってこいなのかもしれないですけど、「それってあなたのやりたいことですか？」と聞かれたら、大半の人の答えはきっとＮＯですよね？別にそんなことをするために生まれてきたわけじゃない、と。

実際、ああいうのは、余ったお金を使って暇な時にやるくらいでちょうどいいのです。

そうではなく！

当時の僕をはじめ、僕たちに必要なのは、孤独どころか心から信頼できる「仲間」ができて、しかも喜ばれながら労働ゼロで「収入」を得られて、そのうえもちろん「低リスク」で始められる。そんな最高の方法なのです！

では、そのやり方は？　結論からお伝えしましょう！

その方法とは**「サロスク」**です。

「サロスク」とは、「オンラインサロン×サブスクリプション」を掛け合わせたビジネスモデルの略語です。（ただのサロンではなく、オンラインの意味を含んでいることにご注意ください）。

横文字だらけで難しそうに聞こえてしまうかもしれないけれど、全然そんなことはないので安心してください。

◆オンラインサロン＝同じ趣味を持つ人たちの、オンライン上の集いの場

◆サブスクリプション=継続課金

◆オンラインサロン×サブスクリプションなので「サロスク」

だと思ってくれたらいいです。簡単でしょ?

両方の言葉を耳慣れない人に説明すると、「サロン」は、ヘアサロンやマッサージサロンなんかはよく聞くかもしれませんが、そういう普通の商売のものとは少し違い、**意味合いとしては「クラブ」や「教室」に近いものがそうです。**

参加者同士で横のつながりがある程度あるものですね。

少年野球チームも、いってしまえばサロンですね。

料理教室やテニス教室、書道や囲碁教室なんかもサロンにあたります。

○○の会、などで参加者が集ってお話するだけみたいなものも、サロンといえます。

これらはオフラインのサロンですね。

そしてこれらの交流や情報交換を、オンラインを中心にやるのが**「オンラインサロン」**というわけですね!

実際の教室を主体とするのではなく、チャットやSNSを使ったり、通話ツールや音声や動画を使ったりして交流します。

またオンラインは、一見オフラインでしか成り立たないようなものも、成り立ちます。

僕の身近では、オンラインなのに武術であったり、ネイルやバドミントンのオンラインサロンなんていうのもあります。驚きですよね。

しかもオンラインなら、何かの病気に感染したり、させたりする心配も無用ですからね。安定してサロンを活動させることが可能なのです。

そしてサブスクリプションというのは、先程のように継続課金モデルのこと。

毎月いくら、というのは全てサブスクリプションです。

サブスクリプションモデルを採用している企業はたくさんあります。

横文字にすると新鮮な響きになるだけで、一番身近な例だと新聞やＮＨＫなどもサブスクリプションですね。毎月決まったお金を払ってサービスを受けているでしょう？

月額いくらや、年間いくら、とかいってるのは全てサブスクリプションと考えて問題ありません。

最近有名なアマゾンプライムや、映画や番組がネットで見放題のＮｅｔｆｌｉｘ

とです。

ただ違うのは、オフラインなのかオンラインなのかというだけのことです。

そしてそれらを掛け合わせた僕が提唱する「サロスク」とは、「継続課金のオンラインサロン」です。

これをやりましょう！　というわけですね。

例えば僕が運営しているサロスクは、生徒さんがざっくり１００名。

月謝１万円なので毎月１００万円くらいの収益があります。

あくまで月謝だけで、です。

あとは入会金が約20万円なので、たった２人入会しただけでも１４０万円になります。

「いやいや、それ始めるのも維持するのも大変そうじゃないか！」と思うかもしれませんが、それはこれから解説していきます。

具体例を交えていくつか紹介していきますので、あなたがこれらについて全く経験がなくても、誰でもできるということがイメージできるはずです。

ただしですね。

事例の紹介の前に、色々労働の方法はある中で、なぜ**「サロスクモデルが、ゼロ時間労働で収入を得るのに最善だと言えるのか？」**を先にお話ししたいと思います。

僕は月収1000万円を超えるまでに、いろんなビジネスを見聞きし、あるいは試し、教わり、そして教えてきました。何十ではきかない数のビジネス手法を知っています。なぜ「サロスク」を、普通の人がゼロ時間労働を得るために、最善のものとして、お伝えしようと思ったのか？

「やりたい・やりがい・お金要素」を満たすのはもちろんですが、他にも理由があります。その中でも僕が最も重視してる「極端にリスクが低い」という部分を含めて、お勧めな理由をお話ししていきますね。

というわけで、**なぜサロスクが「ゼロ時間労働」を実現する最善の方法なのか？**　早速、解説していきましょう！

なぜサロスクが「ゼロ時間労働」を実現する最善の方法なのか？

その要素は、全部で8つあります。一つ一つ、解説していきますね！

【1：極端にリスクが低い】

開業資金……。これはとっても大事です！

サロスクのサロ＝オンラインサロンなわけですが、オンラインサロンはとにかく経費が少なくてすむんですね。

不動産を借りて教室をやろうとすると、敷金礼金、内装費、メンテナンス費、保険など始める前だけでも相当な出費になってしまいます。

その後も、当然ずっと家賃がかかり続けます。

しかしだからといって、それで上手く行くとも限りません。

もしそんな大金をかけて失敗したら貯金がなくなってしまいますし、下手すると、借金にまで発展してしまいます。

そのあとは借金返済のために数十年の間、苦しみ続けるなんてことになりかねません。「こんなことなら嫌でもビジネスパーソンを続けていれば良かった！」となってしまうわけですね！

そういう人がたくさんいるので「独立なんてやめとけ！」という風潮になっていったわけです。

でも、これは昔の話。

今の時代、ビジネスのはじめからそんなリスクを取るなんて、勉強不足の人がやることです。オンラインサロンは全く違います。

例えば、僕がやっているオンラインサロンは、初期費用2万円以下です。

内訳は、メルマガ配信システム1万円とWeb会議ツールであるZoomにかかる1980円と他に2000円くらいです。

その後かかる月額の費用も数千円程度です。

毎月何万、何十万円と家賃がかかるなんてことはありえません。

事業にかかるお金としては、文字通り桁違いに安い。安すぎますね。（笑）

敷金礼金、家賃や保険なんてかかるはずもありません。

なんせ、オンラインですから！

ここまでリスクが低いから、借金なんてするはずもないですし、失敗したとしたら、次のことに挑戦できます。一生借金まみれで苦しむなんてありえないですね。

そしてこのぐらいの額なら、社会人どころか学生だって負担できるでしょう。

「この時代に生まれて良かった〜！」と心底思います。

今、事業を起こすなら、オンラインに限ります！（笑）

【2：アクシデントや不況にめっぽう強い】

アクシデントや不況に強いことも大事です！　ビジネスである以上、波はありますが、サブスクリプション（定額制）モデルは、アクシデントや不況に非常に強いです。

なぜなら、月初の段階で利益が確定しているからですね。

「今月売上大丈夫かな？」なんて考えなくていいわけですね。

そうではなく、月初の時点で「今月売上あとどれだけ増やせるかな？」となるわけです。

お客さんが支払をしてくれるのが前提のモデルなので当然の話です。

サービスを利用してもしなくても定額が課金されるのですから。

もちろん、サービスがそれに見合ったものである必要があるのは言わずもがなですね。

しかも、継続収入だけではありません。単発収入もしっかり得ることができます。

これも実に嬉しいですよね。

例えば、学習塾の月謝は継続収入ですが、塾の入会金や模試のようなものは単発収入です。音楽バンドがファンクラブで毎月収益を得ながら、時にはライブのチケット販売をするというのも同様ですね。

安定した稼ぎを得ながら、大きく稼ぐことも可能、というわけです。

ちなみに会社のお給料は？

会社のお給料は、働かなければでないので、実はこれは単発収入です。

単発が毎月連続しているから継続収入だと間違えないようにご注意を！

そして「不況に強いってどういうこと？」という話ですが、ご存知のように、僕たちの生活に大きな災害や経済危機が訪れると、単発収入が極端に少なくなる場合があります。

災害や感染症で急に働く場所が閉鎖や休業したり、最悪潰れたりなどですね。飲食店でも航空会社でもほとんどのお客がサービスを利用しなくなってしまったりすると、単発収入一本しかない会社は窮地に追い込まれてしまうわけです。

会社員も同じ。

工場が稼働停止したり、お店が休業になったりなどの理由で減給されると、一気に家計が火の車になってしまいます。

ローンの支払ができなくなって、夢のマイホームを安値で売却せざるを得なくなりますし。下手するとそれでも足りずにローンの返済だけ残ります。

これって恐ろしいことですよね。僕もつい最近家のローンを借りたのでよくわかります。会社労働という単発収入だけの働き方をしてると発生するリスクですね。

ですが、ここでもしあなたに継続収入という2本目の柱があったら？

単発収入がなくなるのは痛手ではありますが、窮地に追い込まれる可能性は格段に低くなりますね。

むしろ、普段から継続収入を強化していれば、単発収入はあってもなくても大差はなくなってきます。

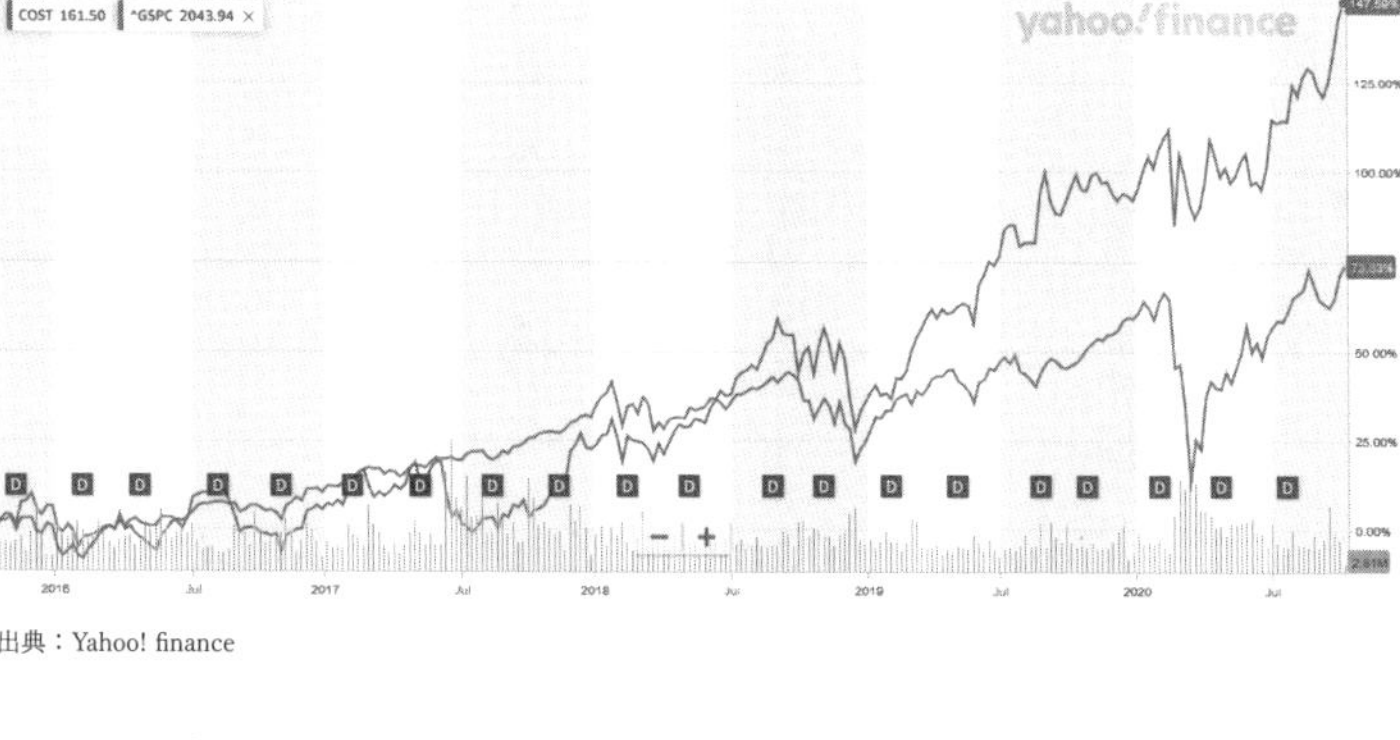

出典：Yahoo! finance

最近知名度をあげている、会員制スーパーのコストコをご存知でしょうか。

このスーパーは業績をずっと上げ続けています。日本では4500円、米国では60ドルの年会費を支払うことで、ほぼ仕入原価で商品を購入することができる、珍しい形態のお店です。

つまり、店舗で商品が売れたかどうかの単発収入では利益を得ようとしていないのです。単発収入無しでここまでの躍進をみせています。

しかもです。コロナで株価が戦後最大の下げ幅を記録した時でも、その株式市場において、コストコの株価はそこまで落ちていないのです！

上のグラフの、上のラインがコストコの株価を指数化したもの。下がS&P500種の指数です。

下のラインがガクッと落ちているところは、新型コロナの影響です。違いが一目瞭然ですね！

史上空前の下げ幅を記録した新型コロナの影響下の中、サブスクリプションモデルを採用していたコストコはというと、さほど影響を受けていないのがはっきりわかります。

これぞ、サブスクリプションがアクシデントや不況に強いという好例ですね！

ただ、こういうと**「継続課金を強化すると、初期の収益が少なくなるので、収益性が悪くなるのでは？」**という疑問が浮かんで来る人もいるでしょう。

しかし、それは違います。

確かに初期の収益は少なくなるのですが、むしろ継続収入を強化していった方が、収益性は上っていくことが多いのです。しかも安定的に増収しやすいのです。

一つ例を挙げながら解説していきますね。

【3：安定増収が可能】

先程の続きですが、Adobe Inc.（アドビ インク）という会社をご存知でしょうか？（以下、省略してアドビとします）。

フォトショップやイラストレーターなどのＰＣソフトで２０１１年に売上高３４００億円、粗利97%というとんでもない利益を上げていた有名な会社です。

当時のアドビはＰＣソフトを「売り切り型」で販売していました。フォトショップでざっくり10万円です。

でもその売り方を、２０１１年を期に、全てやめてしまい、新しいモデルに切り替えたのです！

一体なぜやめたのか？　こんなに素晴らしい業績を上げていたのに。

売り切り型のビジネスモデルで２００７年〜２０１１年までの業績もすこぶる良かったんです。リーマンショックの２００８年以外はほぼ同じ業績を上げている。

でも、アドビの経営陣は、これを逆に捉えたのではないでしょうか。同じ業績が続くということは「もうこのモデルでは伸び代がない」ということだと。

「その価格で必要な人には毎年行き渡っている」と。

「安定しているのではなく、維持が精一杯なのだ」と。

ここまで判断したとしたら、それだけでもアドビはかなりすごいのですが、僕が本当にすごいと思うのはむしろここからです。

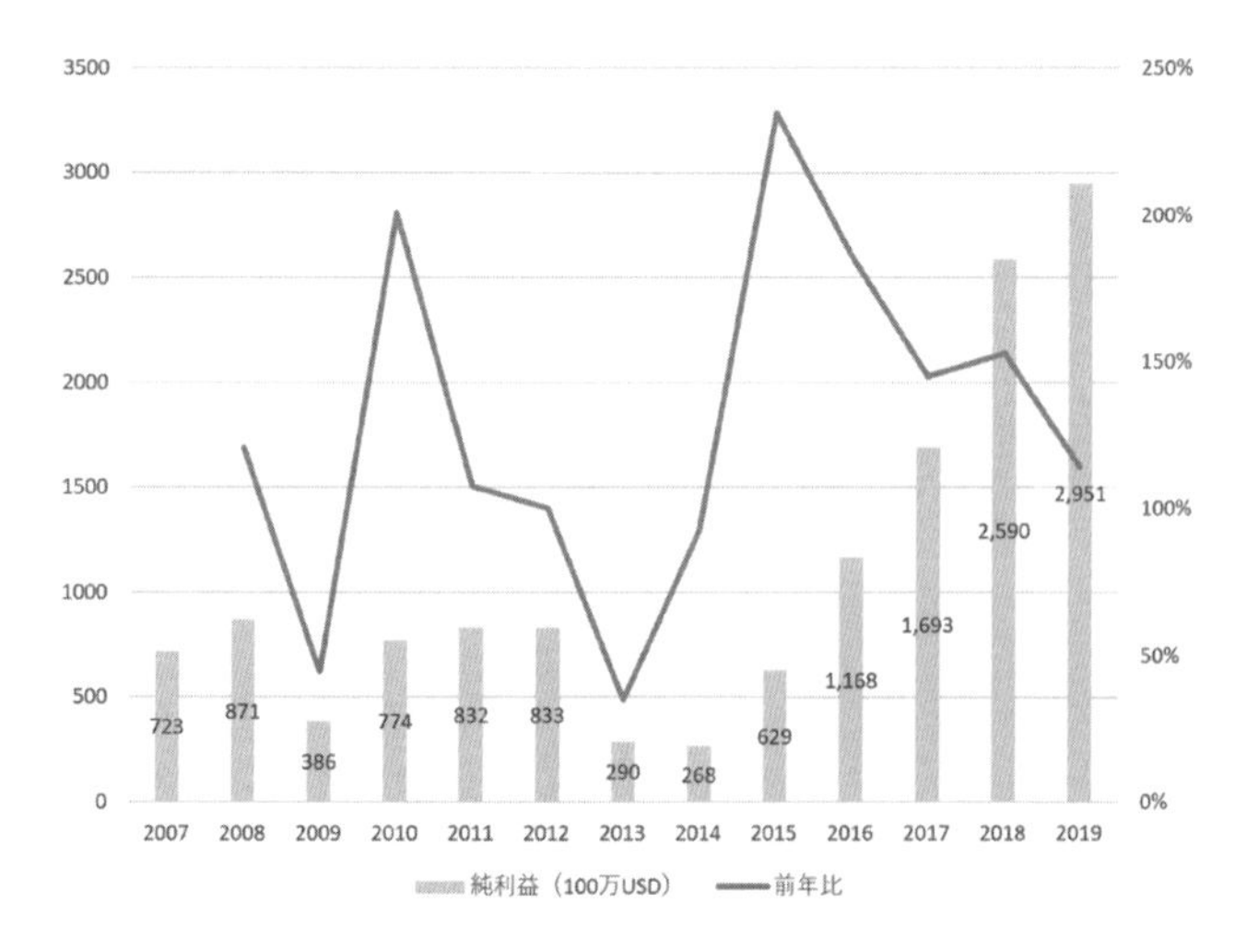

つまり、この状況を「やばい」と感じてすぐさま次の手を打ったことです。

次の手とは何か？　そして次の手を打ってどうなったのでしょうか？

その答えは上のグラフにあります。

これはアドビの業績を表したものです。

棒グラフだけみてください。

「設備投資がいくらで」などの細かい解説は、このような大企業と僕らではあまり関係がないので省きますが、重要なポイントが二つあります。

一つ目が、２０１３年、２０１４年の純利益がガクッと下がっているところ。

これは2008年のようなリーマンショックがあったからではありません。**そうではなく、この年にビジネスモデルを、月額制のサブスク型に本格的に切り替えたからです。**

つまり、それまで10万円で販売していたものを月額数千円で使えるようにしたのです！（しかも、はじめはキャンペーン価格で月額1000円でした）。

これにより、先程お伝えしたように、買い切り型の販売に比べて初期の収益性は悪くなったのです。10万円が、年間数万円程度に落ちたわけですからね。

そこで二つ目のポイント。それが、その後の利益の伸びです。

2015年から利益が伸び出し、2016年には横ばいでこれ以上成長の見込みのなかった2012年までをあっさり抜いて、安定的に増収し続け、2019年には2012年の4倍近くになっています。

新型コロナで歴史的な不景気にあった2020年3〜5月期でさえ、前年同期比14％も伸びています。不景気だろうと好景気だろうと関係なく、サブスクリプションは安定的に伸びやすいのです！

【4：どんなにマニアックなテーマでも十分な収益が得られる】

あなたもご存知の通り、インターネットを使えば、たとえあなたが山奥にいようと世界中の人と繋がることができます。これが何を意味しているのか？

それは、あなたが家にいようとオフィスにいようと、世界中を旅していようと仕事ができるのは言うまでもないのですが、それらのメリットは当然としてです。最も重要なことは**「あなたのマニア性を求めている世界のどこかの人と、繋がることができる」**ということなのです。

あなたのマニア性を求めている人と繋がれるとは、あなたの「好きなこと」で十分な収益を得られるということです。

例えば、あなたは酔拳にお金を払いたいほど興味があるでしょうか？　いえ、そもそも知っているでしょうか？

ジャッキー・チェンで有名な、あの酔拳です。かなりマニアックなジャンルにあたるはずです。普通はこれで収益なんてとうてい厳しいと思うでしょう？

しかし、2章の事例で紹介しますが、武学のサロスクでも成功している事例があるのです。

また、マニアックなテーマでよいということは「やり方」も特別でよいということです。

つまり、必ず平日昼に働くとか、週5日働くとかしなくても、スキマ時間に活動すればよいということでもあるんですね。

「月1回、空いた日の夜中に行う」こういう活動でも全く問題ありません。

例えば、会社勤めをしながらでも始めることができる、というわけです。

時間的にもローリスクで融通がきくのが、お勧めする理由の一つです！

【5：個人のビジネスと相性がいい】

さて、ここまでの話をきいて、例えが大企業が多いな、個人のビジネスには関係ないのでは？　と思った人もいるでしょう。

ですがご安心を。「大企業もしていますよ。時代がそうなっていますよ」という例を示しただけで、サロスクはむしろ、個人で始めるビジネスの方が相性が良いのです！

低コスト、オンライン化、マニアックなテーマに対応、時間の融通がきくなど全て、個人にとっての追い風です。

【6：好きなときに仕事ができる】

サロスクには大きく分けて3種類のモデルがあります。

それぞれ、

- **ライブラリー型＝Ｎｅｔｆｌｉｘの映画や番組見放題のような、そこにあるサービスのコンテンツが閲覧し放題のもの**
- **定期購読型＝毎週メルマガや動画やラジオが配信されるなど、定期的にコンテンツが届くもの**
- **リアルタイム型＝Ｗｅｂ会議ツールであるＺｏｏｍなどを使いリアルタイムでやりとりをするもの**

となります。

サロスクではこれら3タイプの中から、どれか一つを選択するわけではなく、自分の理想に合わせて組み合わせていきます。

例えば僕のビジネススクールでは、メンバーは個人ビジネスにおける「集客」と「セールス」のセミナーをメンバー専用のサイトで好きなだけ閲覧することができます。

それにくわえ、さらに月に2回、僕たち運営者の都合がつく時にメンバーをＺｏｏｍに集めて2～3時間リアルタイムでグループ型の相談会を行っています。

つまり、ライブラリー型×リアルタイム型を採用しています。

メンバー専用のサイトにあるコンテンツは、参加者が自由に見るものですし、リアルタイムの相談会も、僕がそれをしたい時にすることができるので、拘束時間という点ではほとんど負担がありません。

ある時は自宅から、またある時は旅行先のエジプトからピラミッドを背景に、という具合にできるのです。

メンバーの都合よりも、自分の都合を優先し、最も自分が楽しく、そして負担のない形態を好きに選べるのも、サロスクの利点ですね！

【7：気持ちよくいられる】

個人でやる以上、ぜひとも重視してほしい項目です！

個人ビジネス最大の利点は、なんと言っても気持ちよくいられることです。

なぜか？

それは、嫌な人とはつき合わなくていいからです。（笑）

口うるさい上司もいなければ、嫌な同僚もいないですし、クレーマーもいません。

1％のクレーマーには、99％のメンバーのために愛を持って諭し、それでもダメならさっさと退会してもらったらいいのです。

大衆向けのビジネスでは、あるいは一般的な企業に務めていてはこうはいかないですね。しかし、個人ビジネスではクレーマーに合わせて全体が窮屈になる必要などないのです。

仕事のストレスの9割は、嫌な相手と付き合わざるをえないこと（そしてその相手に折れざるをえないこと）からくるものですから。

ここから解放されるだけでも、サロスクをやる価値はあるというものです。

【8：本来、大切にすべき相手にエネルギーを注げる】

サロスクには経済的にも精神的にも様々な利点がありますが、**僕が最も気に入っ**

ている利点がこの点です！

あなたは疑問に思ったことがないですか？

新規客には割引があるのに、常連客にはなぜないのか？　と。

本来であれば、お店を応援してくれている常連さんこそ優遇されるべきなのではないか、と。

そうなってしまう理由は簡単ですね。

そもそものビジネスモデルが、新規客を集め続けなければ、お店が成り立たないものだからです。前に例に出した、サブスクリプション型のビジネスモデルになる前のフォトショップなどを販売していたアドビのように。

持ってない人に売らないと、会社が成り立たないから、そうなるのです。

これは、前時代的なビジネスの最大の欠陥と言えるでしょう。

でも、これはおかしな話ですね。まさに欠陥です。

なぜなら、常連さんが足繁く通ってくれるお店であれば、新規客向けの集客などしなくていいのです。

そして、困った時に助けてくれるのは常連さんであり、見も知らぬ新規客ではないのです。**であれば、むしろ常連客こそ大切にすべきなのです。**

ここで明確にお伝えしておきます。

定額収入モデルの、最大の強みは実はここなのです。

常連さんを、思いっきり大切にできること。これが強みなのです。

サロスクにすれば、本来大切にすべき常連客にあなたのエネルギーを集中して注ぎ込むことが可能になります。そうすることで、新規客集めに四苦八苦せずとも、あなたの銀行口座には定期的にまとまったお金が振り込まれることが約束されます。

そしてその額は常連さんを大事にすればするほど増えていくのです。

たとえあなたの提供しているサービスが飲食であろうとオンラインサロンであろうと、サロスクを採用すれば、自然とそうなります。

やりたいことに全力を傾けるほど、お客さんの反応も上がり、やりがいもあがっていき、収益もどんどん上がっていきます。

これぞまさに、労働がゼロの状態ではないでしょうか？

新規客を増やすだけのビジネスモデルだと、宣伝だの、業界の有名人とのコネクションだの、色々面倒なことがたくさん必要になります。

誰でもできるとは言いづらいですし、お金を持ってる人ほど有利です。

しかし、今いるお客さんを大切にするだけ。

これなら、会社でなく個人でも、いや、個人の方がやりやすいですし、お金の力とはほぼ無関係なところで優劣がでます。

あなたも、全国チェーンのお店より、勝手知ったる親切な個人店で買い物をしたことはありませんか？

そんな「親切な個人店」がぐんぐん伸びていくのが、サロスクの最大の利点なんですね。

というわけで、なぜサロスクが「ゼロ時間労働」を実現する最善の方法なのか？

【1：極端にリスクが低い】
【2：アクシデントや不況にめっぽう強い】
【3：安定増収が可能】
【4：どんなにマニアックなテーマでも十分な収益が得られる】
【5：個人のビジネスと相性がいい】

【6：好きなときに仕事ができる】

【7：気持ちよくいられる】

【8：本来、大切にすべき相手にエネルギーを注げる】

これら8つの理由を挙げました。

これらが、一般的な会社の労働、あるいは、他の個人ビジネスと比較しても、特に優位に立てる理由ですね。

そして、なぜサロスクを、「やりたい・やりがい・お金」を満たす苦労ゼロの「ゼロ時間労働」の働き方として、お勧めしているのか？　その理由がわかって頂けたのではないかと思います。

説明と前置きも終わったところで、次からは、実際にどんな形の収益があるのか？そしてあなたにもできるのか？　これらを、事例を通して話していきます！

2章

実践例！オンラインサロンは誰にでもできる！

ここまでサロスクをやろう！　という話をしてきましたが、もし僕がビジネス初心者の時に**「サブスクリプションモデルのオンラインサロン（サロスク）を作ると労働から解放されますよ」**という話をされたとしたら、「意味不明です」度合いがハンパなかったでしょう。（笑）

そもそも「やろうって、まず何からやればいいのか？」って話ですからね。

なので、これからわかりやすく解説していくのですが、その前に、これからする解説をよりイメージしやすくなるように事例をいくつか紹介していきましょう。

まずは「ネイル大学」という、セルフネイルを教えているオンラインサロンから紹介しますね。特に女性には馴染みが深いでしょう。

参加者ではなく、自分が主催者だというつもりで、見ていってほしいと思います。

▼事例1　ネイル大学

このネイル大学は僕の友達の荒井さんという女性がつくった、ネイルアートを学ぶためのオンラインサロンです。

【内容】　主にネイルアートの技術
【価格】　月額2000円
【在籍人数】　300名以上

となっています。

もちろんオンラインなので経費はほとんどかかっていません。このサロンはネイル、仲間作り、ビジネスマインドの三つのテーマで運営していて内容は、以下の通りです。

・ネイルアートの技術指導動画を週1本配信
・技術的なことに関する質問会をＺｏｏｍで月1～2回開催
・サロンメンバーみんなで一緒にやる練習会を同じくＺｏｏｍで月1～2回開催
・今月の目標を各々考えてシェアする回を月1回開催

これを見て、もし活動内容が多くて大変そうと思ったのなら、少し想像してほしいのですが、あなたが大好きなことや趣味はなんでしょう？
女性ならメイクやファッションかもしれないし、男性ならゴルフや麻雀、バイクかもしれないですね。

大好きなことを語ったりするのは、労働とは程遠いはずです。

ちなみに僕の場合はスポーツを見るのと、旅行が好きです。なので、頼まれてもいないのにサロンメンバーに会いに日本中あちこち飛び回ってしまうくらい楽しい。まるで遊びにっているのかという感じです。「労働感」はゼロ。

荒井さんも、一見大変そうですが労働感はゼロで、とても楽しそうに運営しています。あなたも、サロスクが波に乗ってくれば、まるで遊んでいるかのような感覚で収益を得ることができるようになるでしょう。

さて、このサロンができた経緯をお話しします。
荒井さんは元々、自分に自信がなく小学生の頃から不登校でした。ただ、花と絵が好きだったので毎日花を摘んできては家で一人、花びらを数えて、その絵を描いているような女の子でした。

そして、そんな自分を「存在する価値なんてない人間なんだ」と子供の頃から大人になってもずっと思っていました。

でも、きっかけがあって変わることができたんですね。

そして、趣味でネイルアートをするようになり、ネイルスクールに通って少しずつ自分の道を歩きだせたという方です。

そのような経験から**「かつての自分と同じように、自分に価値を感じられない人にきっかけを作りたい」**ということでネイルのオンラインスクールとサロンをはじめたというわけですね。

さらにいうと、元々彼女は、ネイルのオンラインスクール講座を運営していました。そのネイルオンラインスクールでは7か月間でプロの技を習得していくのですが、これがとても評判でこれまで1400名以上が入学していたんですね。そこで荒井さんは講師をしていました。

とにかく花びらの絵を描きまくってきた荒井さんなので、描き方のコツをたくさん知ってました。

僕も一つだけ教えてもらったんですけど、これがとても素晴らしかったのです。さすが、研究し尽くしただけあるなと。「そりゃあ、評判になるよな」という感じです。

ただ、ここまではいいんですが、一つだけ問題がありました。

それは、スクールでせっかく生徒さんに技術を身につけてもらったのに、7か月でお別れになってしまうことです。

それだと卒業後にさらに技術をレベルアップしたい生徒さんへのフォローができないですよね。

また、生徒さんからも、「もっと荒井先生と関わっていたい！」というリクエストが多かったので、定額のサブスク型のオンラインサロンを作って、卒業生だけが入れるようにしたという経緯があったのです。

このように、**最初は単発講座からはじめ、評判を得たら、サブスク型に移行する。**

これも、非常にローリスクな始め方なので、お勧めです。

ここの生徒さんたちは荒井さんから学んだプロの技術でネイルサロンを開業して仕事にしている人もいれば、友人にネイルをしてあげるような小規模な活動をしている人もいます。もちろん、自分の爪のお手入れのために学んでいる人もたくさんいます。

多種多様な人が参加していますが、共通点は、参加者はネイルを通して自信をもって社会で活動できるようになっていること。

こうして、自信をもって社会に出る人を増やしているわけですね！　素晴らしい！

また、このサロンの素敵なところは、**「自分の人生には価値なんてないと思っている人に、人生は夢と希望にあふれていることを思い出してほしい」**というその理念です。

例えば、家庭に入って社会に置いてきぼりにされてしまってるように感じている主婦は少なくないです（旦那さんは奥さんのこの辺の気持ちに気づいてあげたいですね）。そして自信をなくしてしまったりします。

「私なんて大して価値がない。社会に影響を与えていない」と勘違いをしてしまうわけです。

すると家庭が暗くなり、ひいては日本全体が暗くなってしまいます。

でも、女性が何かのきっかけで自信を取り戻し、明るくなれば、家庭が明るくなる。すると日本全体が明るくなっていく。自分の得意なネイルがそのきっかけの一つになってくれたらいいという、そういう理念。素敵ですね。

これは、荒井さん自身の経験から出た理念なので、実感がこもっていますね。

こういうと崇高な理念が必要だという印象を与えてしまうかもしれないけれど、活動理念に決まりはないので、自分のサロンに合わせて決めるといいでしょう。

初期段階では、「〇〇が好きだから」という程度の理念でも構いません。

そこは気楽に考えてくださいね。

このように、ネイルというものでもオンライン化は可能です。最後に荒井さんの情報をさらに知りたい方はブログを運営されているので、ＵＲＬを記載しておきます。オンラインサロンの運営の仕方などの参考にしてください。

【ブログ】
https://ameblo.jp/hitominnail

▼事例2　武学オンライン

「誰もが自分の可能性を広げ、互いに成長し合える世の中を作る」という理念の元、2017年5月からはじまった武学オンラインでは、武術を学問としてオンラインで教えているサロンです。

【内容】主に武学（武術を中心とした学問）
【価格】1〜36か月目までが月額5000円。37か月目からは月額2000円
【人数】450名以上

となっています。

例えば、古くはフランスの皇帝ナポレオンや武田信玄、近年だとソフトバンクの孫社長やビル・ゲイツ氏が学んだといわれる**「孫氏の兵法」**も「武学」のうちの一つですね。

しかし「武学」というと「知らない、自分には馴染みがない。興味がない」という人が大半でしょう。(実は生活のあらゆる場面で武学はとても役に立つけれど)。でも先に挙げた通り、450名以上が現在このオンラインサロンに参加しています。

つまり、SNSやYouTubeなどで情報発信が気軽に利用できる個人メディア時代においては99%の人に興味を持たれなくても数百名以上のサロスクモデルは成立するのです。

ちなみに、**僕はどうしてもこの武学の事例を紹介したかった**のですが、その理由が二つあります。そして一つ目がこれです。

何が言いたいのかというと、**1%の人が興味を持ってくれたらそれでいい**ということです。

ちなみに、反社会的な危険な個性は論外だけれど、個性はあればあるほどいいです。

個人メディアでは個性を削る必要は全くありません。

逆に、より多くのお客さんを獲得しようと大衆に合わせて没個性的なことをやってしまっては、あなたがそれをやる意義が失われてしまうし、個人メディアの意味もなくなってしまいます。

そんなことはやっていても面白くもないし、それはただの労働でしかないので。ゼロ時間労働どころか、たちまち社会の犠牲者に逆戻りです。尖ることを恐れずいきましょう。

そして、二つ目の理由が、武学オンラインは松本さんという立ち上げ当時、武学への造詣がそれほど深くはなかった男性が主催しているということです。本人が言っていたことですけれども。(笑)

それでもここまでサロンを成長させることができています(そして、今でもメンバーは増え続けています)。

では、武学の知識はどうしているのでしょうか？

さすがに、何も知りませんでは、講座を開いても何もできません。しかし、これを彼は「ある方法」で解決しました。

「私には特別に人に教えられることがない」という人にも光明になるはずです。

答えは簡単。

武学の素人である松本さんは、武学の達人に協力してもらったのです！

その名も、レノンリー。武術の最高峰と言われる酔拳の2009年、2010年の世界チャンピオンです！

これほどの人物が協力してくれているのだからサロスクでの提供内容の問題は解決です。

「自分に教えられるものは何もない」と言う人は、是非同じようにコンテンツホルダー（提供内容を持っている人）に協力してもらいましょう。

特に専門家というのは、一流になるほど「専門のことだけしていたい」という人が増えますし（だから一流になれる）、さらに自分の専門としていることを、広めたいと思っている人も多いので、集客だったり雑事だったりを自分が引き受けると言えば、協力してくれる人は意外と多かったりします。

とはいえ、コンテンツがあるだけではサロスクはスタートできないですよね。インターネットを全然知らなければさすがに難しい。

当時の松本さんも、インターネット集客については全然やったことがありませんでした。これに関しては、僕も少しばかりアドバイスさせてもらいました。

そして、その当時から今でもブログとＹｏｕＴｕｂｅとメルマガを組み合わせることで順調に集客し続けています。

ちなみに、意外に思うかもしれませんが、「武学オンライン」はほとんど男性しか入らないかと思いきや、**女性が4割もいます。**

武術は男性が好むもの、だから興味を持つのも男性ばかり、なんていうのはただの思い込みなんですね。実は女性にも学びたい人がたくさんいます。

武学オンラインについての詳しい情報は次のリンクをご覧ください。

そして、ページをご覧になって「武学という男向けっぽい響きなのに、なぜ女性が多いか？」の答えを考えてみてください。きっと起業家視点がぐっと上がることと思います。

【武学オンライン】
https://rennonlee.com/lp/bugaku/?utm_source=katayama&utm_medium=book&utm_campaign=katayama-book202007

▼事例3　オンライン・バドミントン教室

オンライン・バドミントン教室は、誰でもバドミントンの指導を受けられるようにするためにと立ち上がった月額制のサロンです。

【内容】主にバドミントンの講座や指導
【価格】月額880円～5000円以上（コースにより金額が異なります）
【人数】130名以上

「バドミントンのようなスポーツはオンライン化が難しいのではないか？」と思われるかもしれないけれど、そこは工夫次第です。事実、このサロスクには130名以上ものメンバーが在籍しています。

では、その工夫とは何か？
ここのサロン内では4つのコースが用意されています。

月額880円のコースでは、参加者はバドミントンの技術を収録した指導動画を好きなだけ閲覧することができます。ちなみにこれは、既に収録されたものなので、完全にゼロ時間労働化されています。動画を置いておくだけで皆が学んでくれます。

上のコースになると、メンバーは自分のプレイを録画します。そして、それを講師に送ることで、動画にペンでチェックを入れてもらえるのです。

またオンライン・バドミントン教室以外にも、様々な買い切り教材を販売しているのも特徴です。

例えば、バドミントンの総合的なプレイを解説した教材（9800円）があります。この商品はこれまで累計約1000本が購入されていますし、他にも「トレーニング法」や「ダブルスのポジショニング」など様々なバドミントン関連教材を販売していて、そちらでも収益を上げています。

また体育館を借りて参加費4500円のオフライン講習会も毎週開催しています。こちらは指導を行き渡らせるために18名限定となっているため、毎回キャンセル待ちが出るほどの人気です。

つまり、サブスクリプション型の「継続収益」と教材のような「買い切り商品」や講習会による「単発収入」を組み合わせて利益を上げているのです。

これは是非真似してほしいやり方です！

もう一つ参考にしてほしいのが、集客方法です。

1000本も販売しているのに、なんと広告費は1円も使っていないのです。

これは「広告なんて使うイメージがわかないよ」とか「集客なんてお金使わないと無理なのでは……」という方には、朗報でしょう。

広告はお金がかかるものなので、初心者には特にハードルが高いものだからです。

では、どのように集客しているのでしょうか？

答えはYouTubeです。

YouTubeでバドミントンの動画を流し、概要欄で無料体験版を紹介するページに誘導しているんですね。

認知を広げるためのツールは色々とあるので、自分のカテゴリに合ったものを選びましょう。

▼事例4　マネーコーチ継続サロン

こちらは「マネーコーチ」という投資スクール卒業後の継続コースという位置づけの、月額制サロンです。

【内容】主に投資に関する知識
【価格】月額1万円
【人数】70名

投資スクールでは投資についての知識を学び、こちらのサロンでは投資に関するタイムリーな情報が届きます。

イメージ的には雑誌の定期購読に似ていますね。さらにサロンに参加している間は投資情報を受け取ることができる他に、Ｚｏｏｍを通してメンバー同士の近況報告や5人一組でのディスカッションタイムがあります。

元々は投資スクールのみで、先に紹介したネイルサロンと同様、継続サロンは用意していなかったのですが、卒業生からの要望の声に応える形で誕生しました。

元々予定していなかったため、メンバー同士の交流をデザインしていなかったということですが、交流会をしているうちに距離感が近くなり、深く関われることに楽しみを感じるようになったそうです。（この気持ちすごくよくわかる！）

ちなみにサロンを運営するうえで経費と言えるものはＺｏｏｍの月額費１９８０円のみなのでほとんどが利益です。

こんなふうに、オンラインはとにかく経費がかからないのが嬉しいところですね。

継続率はと言えば、投資額の2〜3倍を回収している人はざらにいるだけあって、97%が毎月更新しています。凄まじい高さですね！

そして集客はどうしているのかと言えば、通常は講師が運営しているＹｏｕＴｕｂｅチャンネルから「マネーコーチ」に誘導するか、メンバーを増やしたい時は、都度広告を使っているとのことです。

広告はハードルが高いと感じる人は、無料のツールを上手く活用していきましょう。典型的なところだとＴｗｉｔｔｅｒ、Ｉｎｓｔａｇｒａｍ、Ｆａｃｅｂｏｏｋ、

ＹｏｕＴｕｂｅなどですね。

これらの無料で使える集客ツールは他にも色々あるけれど、ＹｏｕＴｕｂｅが一歩抜きん出ているように思います。

これらの無料ツールを上手く使いこなせば、オンラインサロンへの集客がスムーズにでき、サロンの会員が増え、月収１００万円以上を達成することもできるのではないかと僕は考えています。

このサロンもそうしたサロンの一つです。是非参考にしてください。

▼事例5　ビジネスコミュニティ「モノローグ」

モノローグは、この本の著者でもある僕が、パートナーの福田君と2人で**「世の中に貢献したいという人たちが、しっかりと活動ができるようになるための収入の地盤を作ってほしい！」**という想いから２０１９年の1月に立ち上げたサロスクです。

【内容】個人ビジネスの知識提供や指導

【価格】月額9700円
【人数】120名以上

会員は「世の中に貢献したい」という想いがあれば、既に事業を軌道に乗せている人でも、普通の主婦でも参加できるようにしていて、オンラインビジネスについて、立ち上げ、集客、販売、サブスク戦略などを1~10まで教えています。

その中でも僕がネット集客に強く、福田君がセールスに強いのでそこがかなり評判です。現在のメンバーはおおよそ120名ほどで、ビジネス初心者の人もいれば、年収が数千万円くらいの人も参加していて、実に幅広いです。

活動内容は、

- **オンラインビジネスの教材提供**
- **月2回のグループコンサルティング**
- **全国でメンバー主催の作業会**
- **メンバー限定Facebookグループ（いつでも質問可）**

などがあります。

つまり、

▼教材で学習

←

▼わからないことをFacebookグループで質問&回答をもらう

←

▼ビジネス戦略など、個々の相談が必要なことを月2回あるグループコンサルティングで質問&回答をもらう

という環境になっています。

他にも、オンラインセミナーがあったり、合宿やお茶会があったりと様々な活動をしています。

メンバーの成果は、個人ビジネス未経験の一般の主婦の方が、2～3か月後に月4万8000円の収入を得ていたり、既にビジネスをやっていた人は100万円だった月収が数か月後に476万円になったりしていて、上々といえます。

入会金は19万8000円、月謝が9700円です。

立ち上げの際は、僕と福田君のブログから集客をして、メルマガから募集をしました。

ここ1年半は大きな募集をほとんどしていないにもかかわらず、メンバー数は減っていないどころか、紹介などもあってむしろ増えているといった状況です。

世間的なビジネスモデルだと、「新規開拓!」といって、既存客をあまりケアせず新規顧客にばかりサービスをしているところか（そして客を逆に減らしてしまうけれど）、客が入らなすぎて、収益が成り立たずに解散してしまうところです。

僕らは、既存顧客を大切にするビジネスモデルのため、参加者へのサービスに集中でき、収益は非常に安定しています。客数の増加はその結果といえますね。

さて、以上で、5つほど事例を紹介してきました!

- ネイル
- 武学
- バドミントン
- 投資
- ビジネスコミュニティ

などなど。いかがだったでしょうか？

だいたい、どんなものなのか、どういう活動のものがあるか、なんとなくイメージがわいてきたはずです。

今はぼんやりと、「完成するとこんな感じになるんだな」と考えてもらえれば十分です。あとは、3章でサロスク開始までの流れ、4章でサロンを一気に広げる方法をお伝えしていくので、さらに具体的なイメージが膨らんでいくでしょう。

次からは実践です。

もしあなたがこの後に書いてある、本書の内容を早速行動に移すならゼロ時間労働で、収益が手に入るでしょう。さあ、実践にはいりましょう！

3章

「サロスク」＝「オンラインサロン×サブスクリプション」を成り立たせるためには？

▼3−1　そもそもサロンとは何をする場なのか？

さて、これからサロスクをつくり「ゼロ時間労働」を実現させる方法を解説していくのですが……。

はじめに次の疑問に答えないわけにはいかないでしょう。

なぜなら、ここを明確にしておかないと、せっかくサロンにたくさんのメンバーが入会しても、いや、メンバーが増えれば増えるほど、おかしなことになってしまい、最後には破綻しかねないからです。

つまり**「そもそもサロンとは何をする場なのか？」**という疑問ですね！

これにまず答えましょう。

サロスクビジネスとは一言で言うと**「メンバーに何かを教え、成功に導くことで対価をいただくビジネス」**のことです。

そのためにコンテンツやメンバーサイト（Ｆａｃｅｂｏｏｋのグループ専用ページだったり、メンバーしか見ることのできない鍵つきのホームページだったりします。

鍵つきのホームページは、会員サイト作成のツールなどを利用して作ることができます）などの「場」の提供があるのです。

例えば、「編み物サロン」では編み物の技術を教えることで、編み物が上手にできるように導くし、「武学オンライン」では武術の考え方などを教えることで、それを日常に活かして志を全うする人生に導きます。

僕のサロンも同じですね。インターネットを使った個人ビジネスのノウハウとサロンという場を提供することで、労働から解放され、良き仲間に恵まれる人生に導いているのです。

つまり**「コンテンツ（知識）」と「場」の提供がサロスク**と言えます。

なので一例をあげると、スイミングスクールも同じようなものですね。

スイミングスクールでは「泳ぎ方（知識）」と「プール（場）」を提供しています。

学習塾や料理教室も同じようにサロスクですね。

学習塾では勉強という知識を教室という場で提供して、料理教室では調理方法という知識をクッキングスタジオという場で提供するわけです。

こうしてみると、サロン×サブスクは別に特別なモデルではないことが見えてきま

せんか？

とはいえ、こうしてわざわざ書籍に著すくらいですので、僕が伝えたいことはそんなビジネスモデルではありません。（笑）

従来のものは初期費用と維持費もかかれば、場所も時間も物理的な入店可能な人数などのキャパシティも選ぶので、こんなに便利になった時代にわざわざ個人で手を出す理由が全くありません。

お勧めもしません。

それを踏まえて、**従来のビジネスと共通する点は「知識」を提供するということです。逆に共通しない最大の点は「場」のあり方です。**

つまりサロスクでは、初期費用や家賃のかかる「箱」は抱えずに、オンラインサロン内で知識を提供していくのです。

これぞ、個人メディア時代がもたらしたローリスク・ハイリターンのビジネスモデルと言えるでしょう！

さらに特筆すべき点は、サロスクを続けていくほど、良き仲間に恵まれることです。

旧来のスクールは、リーダー（講師）が一方的にメンバー（生徒）に教える形式でした。

これはこれで有用でしたが、これではリーダーとメンバー、またメンバーとメンバーの深いコミュニケーションは生まれづらいです。

それだけでなく、メンバーからのフィードバックがないので、コンテンツや場がバージョンアップしにくいのです。またお客からの要望が届かず、ずれていき、そして廃れてしまうという危険性がありました。

だけど、現代は双方向の時代です。

リーダーがメンバーに教えることもあれば、メンバーにリーダーが教えられることもあるし、メンバー同士で教え合うこともあるのです。

ちょうどこの書籍も、僕が書いた叩き台をサロンメンバーに共有して、感想をもらいながらブラッシュアップしたものです。

従来の教室だと、あまり起きないことです。

つまり、リーダーである僕が、メンバーに教えてもらっているというわけですね。

もちろん、メンバー同士の教え合いやコミュニケーションも活発で、僕が質問に答える場の他に、僕が一切回答しない場があるほどです。

そして、僕が一切回答しない場ではメンバーがした質問にメンバーが答えるのですが、むしろそちらの方が質疑応答が活発です。メンバー同士で疑問を解決し合っていることも多いです。サロン内では終始このような状態ですね。

ただ、もちろんはじめから全てがこのような状態だったわけではありません。

事例で紹介した「投資サロン」運営者も語っていましたが、最初はサロンを立ち上げた人が頑張ってメンバーからの質問に答え続けることにより、メンバーとの関係性が深まり、徐々にリーダーがいなくても場が盛り上がるようになっていくのです。

結果、良き仲間に恵まれていく。**これがサロスクという「場」なんですね。**

というわけで、サロスクが「知識」および、かつそれを活かすための「場」をオンライン上で与えるものである、というのはおわかりいただけたかと思います。

では、この場において提供するものはどうやって見つけたらいいのか？

詳しく紐解いていきましょう。

▼3－2　1／100人に「刺さるテーマ」を見つける

◆自分が好きで好きでたまらないものを教える！

セックスうま男（うまお）さんと初めてお会いしたのは、今から3年前のこと。僕が挨拶をすると、彼も自己紹介をしてくれました。

「セックスうま男です」

なんて覚えやすい名前なのだと思いました。（笑）

「なんでセックスうま男なんですか？」

「それは、セックスが好きで好きでたまらないからです」

なんて正直なお方なのかと思いました。（笑）

目を細めて見てみると、ほのかに後光が射しているのが見えた気がしました。

さて、セックスを教えるなんて、人によっては「なんてバカバカしいんだ」と思うかもしれません。でも、個人メディアの時代では、ここがポイントなのです。

つまり、「好きで好きでたまらないこと」でビジネスをすることが大事なのです。

どんなにバカバカしいと思う人がいても構いません。

好きで好きでたまらないことを選ぶことが、サロスクで成功する第一歩になるのです。

なぜって、好きじゃないことをやってしまったらゼロ時間労働になりませんからね。

お金が稼げたとしても、好きでもないことをしてるのは「労働」以外の何物でもありません。

会社でも労働をして、その脱却のために全て自分で決められるビジネスをするのに、そこでも好きでもないことをするなんて、もったいないにもほどがあります。

それに、「好きこそ物の上手なれ」と昔から言われるように、好きなことなら人に教えられるくらいの知識や技術を身につけるのにも、苦労しないというわけです。

いや、苦労しないどころか、好きだから知的好奇心も湧いて、楽しんでいるだけで質も量も生徒を圧倒することができます。

野球好きのおじさんが歴代甲子園球児やプロ野球選手について、自然に身についた膨大な知識量を持って解説するようなものですね。

もちろん正攻法でも良いわけで、例えばお料理教室はサロスクの典型例。

他にも、ファッション教室とか普通に英会話教室なんかもありますね。

つまり、定額制で教える何かを、「好きで好きでたまらないもの」にしたらいいのです。

サロスクで生徒を持つ以上、講師は常に生徒よりも一歩先を歩いている必要がある。

嫌いなことや渋々やってることなら大変ですが、好きなことなら、それが容易なのです。

そして、あとはそれを情報発信していれば収益を得ることができるというわけです。

「刺さるテーマの見つけ方」はこんなものでいいのです。

なんたらマーケティングだの、時代の先々を読んでだの、難しく考える必要はありません。簡単でしょう？

とはいえ、これを言っても「私は私の好きなことがわかりません」という人が少なからずいます。そんな人でもご安心を。

そもそも、なぜそうなるかといえば、僕らはなぜか、好きなことより1ミリも好奇心のわかない「歴史年号を1年も間違わず、覚えなさい！」みたいな教育を子供の頃から受け続けてきたからです。

それによって本当に好きなことをやったり、感じたりする時間を犠牲にさせられてきたので、好きなことがわからなくなるのもしょうがないことだと僕は思います。

なぜなら、好きなことを無視する生活を強要されていると、いずれは何を無視していたかさえ思い出せなくなってしまうからです。

恐ろしいことですが、それが日本中にあふれているのです。

だけど、安心してください、その人は好きなことがないわけではありませんから。

大好きなのに「音楽じゃ食べていけない」とか「会社に入ったら一生安泰なんだ」とか、そういう旧時代的な教育を受けさせられてきているから、そうなっただけなのです。

教師が悪いといいたいわけじゃないですよ。

日本には情熱や志の高い教師がたくさんいます。僕の中学時代の恩師達も、教育について熱い人が多かった。

ただ、残念ですが、学習指導要領が時代とはミスマッチになってしまっている部分があるのではないでしょうか。セックスが大好きだから、セックスを教える、それがいいのです。

学校ではそれはダメだよとおそらく言われるでしょう。でも実際は逆です。それでいいのです。というわけで、次は「好きなことが見つかってない人はどうしたらいいのか？」について解説していきましょう。

◆既に教えることができる何かを見つける

価値はどこに生まれるのか？

シンプルに言うと、情報格差が価値を生むんですね。わかりますか？

あなたの知っていることを、まだ知らない人が「お金を払ってでも知りたい！」となったら、その情報は売れる＝収益がもたらされるというわけです。

仮にあなたが子供の知育に詳しいとして、そして、今まさに子育てしているお母さんが、あなたに「知育を教えてほしい！」となったら、教えてあげればきっと喜ばれますよね。その時にその対価をいただくのです。

これでビジネスの成立です。ビジネスなんてこんなにシンプルなものなのです。ただ、これではただの情報販売にすぎません。

情報販売をしたければこれだけでも十分ですが、サロンをお勧めする理由はそれだけではなく、お客さんの喜ぶ顔が見られたり、成長を感じられたりと、より充足感を感じられるからというのがあります。

そこで、まずはここでは、「教えることができる知識や技術」があるなら、それはサロスクのネタになるということを押さえておきましょう。お化粧でも、恋愛術でも、投資術でもなんでもありです！

あなたが過去「教えて」と言われたものや、他人の話を聞いて「あれなら自分も教えられるな」とか、「きっと知りたい人がいるのではないか」と思えるものはありますか？　大好きでなくても、もしあなたの中に、いまお話ししたものがあるなら、それを武器にしていきましょう！

◆必要にかられて身につけたノウハウを教える

お昼のテレビ番組を見ていると、主婦の節約レシピや収納術をしょっちゅう紹介していますよね？

そこでノウハウを教えてくれている主婦の先生は、収納術や節約レシピが好きで好きでどうしようもなくて、やりたくてやりはじめた！　というわけではないかもしれません。

例えば、スペースにゆとりのある広い家に住んでいたら、収納術をあれこれ考えることはなかったかもしれないのです。

それらの術は、「食費を節約したい」とか、「狭い家でもなんとか快適に住みたい」といったような悩みの中から、必要に迫られて生まれた独自のノウハウが多いはずです。

でも、これって、最高なんですよ！

自分が悩んで考えたことで、同じ悩みを抱える人の役に立てるのですから。

悩んだ甲斐があるというものですね。

しかも、実際に必要に迫られたからこそ、経験に即した的確なアドバイスができるというわけです。経験があるから、かゆいところに手が届くアドバイスまでできてしまう。

そして、このような必要にかられて手に入れた技術は、同じことで悩んでいる人が必ず一定数いるものです。

少なくとも100人に1人は簡単に見つかるでしょう。

お客さんからしても、それをＺｏｏｍなどを通して直接学んだり、質問したりすることで、我が家の最適な収納パターンを定期的に教えてもらえたら、嬉しいですよね。このような、必要に迫られて手に入れた技術も、サロスクにするにはもってこいです。

他にも、ペットの躾やＤＩＹなど、色々とありますね。こんなふうに、サロンのネタなど無限にあります。

むしろ大事なのは、あとで解説しますが、これらをどのように「オンラインサロン×サブスクリプション」にするのかだと言えるでしょう。

ただ、ここまで読んで、「私にはあれがある！」と思った人もいるでしょうし、どれだけ過去を振り返っても、教えられるものが何も思いつかない、という人もいるでしょう。そんな人は諦めた方がいいんでしょうか？

もちろん、そんなことはありません。

「人に教えられるものが何もない時はどうしたらいいか？」それをお話しします。

◆自分にスキルがない場合は、スキルがある人と組む

「自分はのめり込んでいるものは何もないし、喜ばれる技術もありません。そんな私はどうしたらいいでしょうか？」なんて質問をもらうことがよくあります。

僕からみたら、「そんなわけないやん!?　これはただ自分の才能に気づいていないか、才能の置き場が間違っているだけ。あなたにはあなたの才能があるし、それを咲かせる場所が必ずある！　自分をもっと見つめて！」と思うんですが、（それをやりだすと、自分探しの旅に出て、何十年経っても帰還しない人もいるので（笑））、すぐにできる最善の方法をお教えしましょう！　答えは簡単。

「他人の能力を使おう！」です。

事例で、武学オンラインを紹介したのを覚えているでしょうか？

熱意はあったけれど素人の主催者さんが、その道の達人と組んでスタートさせたサロンです。まさにあのイメージですね。

つまり、自分には何の技術もない場合は、仲間を作り、巻き込むわけです。

もちろん、自分の能力とその人の能力が掛け合わされることで、相乗効果を見込める場合もやった方が、価値の高いサロンになります。

僕が運営してるサロン（モノローグ）も、「集客」が得意な僕と「セールス」が得意な福田君が組むことで、個々でやる場合に比べてかなり高い相乗効果を発揮しています。

つまり、個々でやるよりも高い価値をメンバーに提供できています。

ちなみに仲間を作る時は、必ずしも相手と面識がある必要はなくて、「この人がやっていることは素晴らしいから、一緒にやりたい！」と思う人に連絡して、できれば直接会ってオファーすれば、それで大丈夫です。

「一緒にやりましょう！」ということになったら、あとは簡単です。

サロスクを始動させるだけです。

具体的にやることは色々ありますが「何を提供するか」はこれで解決ですね。兎にも角にもはじめに決めることは、まずはサロンで何をやるのかを決めることです。提供内容を決めるということですからね。

近年では「ｗｈｙからはじめよう」という、「なぜそれをするのかという理念から考えよう！」という考え方があります。そして、それは真理なんですが、「理念なんて大それたものをいきなり持つなんて無理！」という人も少なくありません。

もちろん理念があるに越したことはないのですけどね。

そこで止まって何年も動かない人というのをたくさん見てきました。

それよりもとりあえず動いた人の方が成果を出して、ビジネスが軌道に乗るのが早かったりするものなのです。

なので、そこで悩むくらいなら、はじめは「理念などないなら、ないで別にいい」と思っています。

なんなら**「とりあえず好きなことで生活できるだけの収入がほしい」**という動機でも十分です。

理念がないことよりも、提供するものがないことの方がよっぽど大問題。

逆にいうと、提供するものがあれば、理念はほどほどでも結果はついてきます。
なのでこの3章で学んだ考え方を参考にして、まずは提供内容を決めましょう！そして、サロスクを構成する「知識の提供」と「場の提供」のうち、知識の提供内容が無事決まったら次は……。いよいよ「活動場所」です！

▼3-3 サロンの「活動場所」を決める

あれは2018年秋のこと、僕はビジネスで知り合った仲間とアゼルバイジャンという共和国に聖地巡礼に来ていました。そして、割り当てられたホテルの部屋が、たまたま福田君という爽やかイケメンと同室になったのでした。

福田君とは1年くらい前から友達だったけど、何をやっている人なのかイマイチ知らない、ただの遊び仲間でした。それで、なんとなく質問してみたわけです。**「福田君て、どんなことやってるの？」**と。

すると、遊び仲間の福田君は、実はセールスが得意なのだとわかったんですね。

（おおっ！　なんと！　弱冠24歳の爽やかイケメンで中学時代の彼女と結婚までした北の国・富良野出身の好青年で、しかも年収○千万円もあるなんて！　羨ましすぎる……）。

（それはいいけど、セールスが得意な福田君。集客が得意な僕。てことは、僕と福田君の技術を組み合わせたら、「集客×セールス＝相乗効果抜群の組み合わせ」ではないか!?）。

ごく自然と、こんな発想に至ったわけです。だから、提案したのです。

「ここから数年で個人ビジネスの流れが加速するし、世の中に貢献したいと思っている人が、まずは好きなことで食べていけるようになるための、まともな環境を作ってあげたいんだよね。僕は集客が得意だから集客を、福田君はセールス得意だからセールスを教えて、それを学びに来たメンバーが実践しながら習得できる**【活動場所】**を一緒に作らない？」と。

こうして誕生したのが、今僕たちが運営してるモノローグ。

では、ここで言う「活動場所」とはどういう意味なのでしょうか？

◆活動場所とはどういう意味か？

活動場所とは、一言でいうと**サロンメンバーが、目的を達成するために必要な「活動をするための場所」**のことになります。

例えるならば、浪人生なら、志望校に合格するために通っている予備校のことですね。勉強をするだけなら自宅で黙々とやったって問題なさそうですよね。予備校に通わなくても良さそうです。

でもたくさんの人が、わざわざお金を払って予備校に通うのは、それだけの価値が予備校という「活動場所」にあるからです。

つまり、場があることで、志望校に合格する可能性が上がるということです。

そしてもちろん、オンラインサロンなので、**オンライン上に活動場所を作る**ことになります。

これが例えばモノローグの場合は、世の中をより良くするための活動をする余裕を得るために、まずは月収30~1000万円くらいを目指して入会する人が多いです。

誰にも学ばず、直感や独学でビジネスを立ち上げて集客やセールスを行うのは、資金面でも技術面でもリスクがありすぎますからね。

そして活動場所は、主にＦａｃｅｂｏｏｋとメンバーサイトを中心に活動しています。

モノローグはまだ１２０名程度のサロンですが、とても盛り上がっていて、僕たち主催者がいなくても日本各地でメンバー同士が自主的に勉強会を開いて交流を深めたり、オンラインでお茶会が開催されたりしています。

主催者なしでも動くって中々すごいですよね。

また、時々僕が「相談乗りますよ」とメンバーサイトに投稿すれば、平日にも関わらず30名以上が参加する状態です。

１２０名中30名が参加ってピンとこないかもしれないですが、同じような規模のグループだと、参加者10名程度がザラなのです。なのでどれほど活発かが想像に難くないでしょう。

とはいえ「私は一人で十分！　むしろ一人で学んだ方が伸びる！」と感じる人もいるでしょう。もちろん、それならそれで構いません。

ただし、ほとんどの人にとって、活動場所があることは目的達成率を高めることになります。

場を用意すると、具体的にはどんなメリットがあり、成功率が高まるのか？

サロンメンバーには何を提供してあげるべきなのか？

ここを理解しておかないと、サロンを作っても機能しない、なんてことになってしまうので、順を追って説明しましょう。

◆活動場所を作るメリットは？

▼一人ではだらけてしまうことも、仲間がいれば頑張れる

大前提として押さえておきたいこと、それは、「人はそんなに強くない」ということです。ケツに火がついていれば別かもしれませんけど、ほとんどの場合、人は誘惑に負けます。

受験生はついついＬＩＮＥやＴｗｉｔｔｅｒをチェックしてしまうし、ダイエット中の人はついついアイスクリームを食べてしまうし、僕は仕事があってもついつい昼寝を3時間もしてしまう。（笑）

もしあなたがこれに関して「そんなアホな！」「意志弱っ！」「それは少数でしょ？」と思ったのなら、要注意です。

多くの人は、あなたほど意志が強くはないのです。自分の意志の強さをメンバーに求めたとしたら、そのサロンは早々に機能しなくなるので、かなりの注意が必要です。

▼人はやらない生き物

ただ、やらないと言うよりも、やれないというのがより正しい。

例えば、本や動画で寿司職人の魚のさばき方、寿司の握り方を学んだとして、あなたは上手く寿司を握れる自信がありますか？

どんなに寿司を握りたいと思っていても、到底無理でしょう。「寿司職人をナメるな！」と、こうなってしまうわけです。

練習しても最初は上手くできないし、上手くできないものをみてやる気も下がる。そうなると、学んだところで結局やらないと言うか、やれない。

「寿司は寿司屋で食べたらいいんじゃない？」という誘惑に負けてしまうのがオチなわけです。

でも、寿司を学びたい人が集まって、みんなで寿司を握って一緒に食べて、メンバー同士や寿司職人からフィードバックをもらえるような場所があったらどうです？

考えただけで楽しいし、家でも練習したくなりますよね。

それだったら、寿司を握る腕が上っていく気がしませんか？

一人で誰からのフィードバックも受けずに黙々と寿司を練習するのに比べたら雲泥の差がつくのは想像に難くありません。だから活動場所があることが目的達成率を高めるのです。また、他にも活動場所が必要な理由があります。

▼同じ目標に向かって活動する仲間を持つことで、参加者の幸福感が高まる

目標を持つとなぜだか多くの人が忘れてしまうことがあります。

それが、**何のために目標を達成したいのか？**　ということ。

見失ってる人が多いので気をつけてください。

目標を達成することだけが目標になってしまっているけれど、そうじゃないでしょう？

目標を達成した先に「何か」があるから、その目標を達成したいんでしょ？　違いますか？　じゃあ、それってなんだろう？　先にある「何か」って何？

答えはとてもシンプルで、先にあるのは**「幸せ」**です。

といっても幸せってなんだろう？　という話にもなるでしょう。

まあ、そこは人それぞれだろうけれど、幸せのために必要な要素は、実はある程度決まっています。


その要素は三つ。

それは「時間の余裕」「お金の余裕」、そしてなんと言っても「人間関係（仲間）」です。


「ビジネスで月収100万円稼いでます！（俺すごいでしょ!?）」って顔している人が世の中にはたくさんいます。でも実は、そんなことはどうでもいいんです。大事なのは、**「それであなたは幸せなんですか？」**ということです。

月収10万円でも幸せな人は幸せだし、1億円でも不幸な人は不幸です。

僕は多少稼ぐ側になったので、非常によくわかります。

これらの違いは何かというと、さっきも言った通り、

1. 時間に余裕があるか

2. お金に余裕があるか（月収10万円でも余裕ならそれは余裕）
3. 喜びをわかちあう仲間はいるのか？

です。

「お金もあります！　時間もあります！　でも、仲間はいません。信用できる人もいません。僕がいることを喜んでくれたり、僕のやることに喜んで付き合ってくれたりする人もいません。毎晩、豪邸でひとりシャンパンを空けてます」

これ、どう思いますか？「それは寂しいですね〜！」って、思ったりしませんか？

「それで、あなたは幸せですか？」って。

そう、稼ぎたいあなたに、先にお知らせしておくと仲間は幸せに欠かせないのです。

仲間や時間、他をないがしろにしてお金だけを目的にすると、最後の最後で、満たされないことに気づくし、それはお金では買えなかったという罠が、実はあるのです。

ハーバード大学が研究した「心と体の研究（ハーバード成人発達研究）」、平たく言うと「健康で幸せに生きるためには何が重要なのか？」という、**75年間におよぶこの**

研究は、「良い人間関係が私たちの幸福と健康を高めてくれる」と結論づけているのです。

つまり、健康で幸せに生きていくためには「信頼できる家族や仲間が大事なんだよ」といっているのです。

もちろん、お金がなければ生活がひもじくなりますし、そもそも時間がなければ家族や仲間とコミュニケーションが取れなくなるので、お金や時間を軽視するわけではありません。

人間関係、お金、時間の三つ全てが人生で重要という話です。

それを考えた時に、サロスクはかなり有効なのです。

なぜなら、とてもいい仲間ができるのだから！

同じ目標に向かって進んでいる仲間が、です。

ここで最初の話に戻りますが「活動を共有した、信頼できる仲間を作れる」というのは、「活動場所」があるからこそ、できることなのです。

ただ単に、メールなどで情報を受け取るだけは、仲間はできません。

活動場所があるからこそできて、そしてそれがあるからこそ、続くのです。

さらに、仲間ができると、思い出が増えます。

「いやいや、思い出なんて、友達と作ればいいじゃない」なんて声が聞こえてきそうだから一応伝えておきますが、同じ目標に向かって努力した仲間って、ただの友達とはまた違うのです。同志という感じです。最高です。

いかがでしょうか。活動場所ができると、このように参加者の意欲に実に大きい影響を与えられるのです。

だからといって、活動場所があって、仲間がいたら何でもいいのかって、そういうわけでもないです。井戸端会議になったら意味がありませんからね。

では、そんな仲間ができるような「良い活動場所」を作るためには、何が必要なのでしょうか？

◆良い活動場所に必要なものは何か？

例えば、あなたが編み物教室でサロスクを始めよう！　と決めたとします。そんな編み物教室を例に一度考えてみましょう。

「編み物教室」を提供すると決まりました。では次は、それをどこでどう伝えたらいいのかを考えます。「活動場所を決める」わけですね。

つまり、編み方を伝えるための場所はどこにするのか、Ｚｏｏｍなどを使ってオンラインでライブ配信をするのか、それとも事前に収録した動画をメールで配信するのか？　などを決めるのです。

ただ「活動場所」を決めるためには、そもそも活動場所には何が求められているのかを知る必要があります。

これらは、５つあります。それぞれ、

1：知識

2：適切なフィードバック

3：メンバー同士の交流（孤独ではないという実感）

4：参加を促す設計

5：適度な干渉

となります。

これから一つ一つ押さえていきましょう！

1：知識

活動場所に求められているものの一つは、動くきっかけ、つまり「知識」です。これがないと、何をどうしていいのかわからないから当然ですね。

セックスうま男サロンでは、セックステクニックが、投資サロンでは投資の知識が、お料理サロンではレシピが求められます。編み物教室なら、編み物の技術ですね。これらの知識を、手間なく伝えやすい場所であることが活動場所には求められます。

2：適切なフィードバック

知識を与えたら、それを実践してもらいましょう。

でも、ここで終わりではありません。技術を上げるために重要なのはここからです。次は「改善」というフェーズに入ります。そのために、「実践してみたけど、新しい疑問が出てきたよ?」と必ずなるので、それに答える必要があるのですね。

つまり、「教わった通りにやってみたけど上手くいかない。なぜ?」「自分なりにやってみたけど、これって上手くできてるの？」という悩みに答えるわけですね。これが、フィードバックです。これを得やすいのも条件ですね。

3：メンバー同士の交流（孤独ではないという実感）

知識を得て、この方角で正しいのだとわかっていたとしても、真っ暗な森をたった一人で歩き続けるのは結構きついです。

「いやいや、この森いつまで続くの？」となって、諦めてしまいかねません。

でも、そこに仲間がいたら？

「私も同じ方角だから、一緒に行こうよ！」だったり「その先に私がいるよ！」となったらどんなに心強いことか！

サロンではこの環境を意図的に設計します。

例えば、サロンメンバーだけが入れるメンバー交流サイトを作ったり、Ｚｏｏｍに集まって相談にのったりするわけですね。

もちろん、リアルで会うのも大いに推奨したいところです。

僕もよくメンバーに会うために各地に出かけるんですが、これが楽しいんですよね。

実際に会って話をすると、一人ひとりの私生活を感じて、みんなのことが好きになっていく自分に気がつきます。

これもサロンをやっている醍醐味の一つですね！　というわけで、メンバー同士が交流できるのも、活動場所に必要なものの一つです。

4：参加を促す設計

ＺＯＺＯＴＯＷＮ創業者の前澤さんのＴｗｉｔｔｅｒをフォローさせてもらっているのですが、たくさんのコメントがついています。

その中でも少なくないのが「僕にもお金をください」というような、「人に頼る前にまずは自分でお金を稼ごうよ」と言いたくなるような不毛なコメント。

１兆円企業を創った男にこんなコメントが平気でできてしまうのは、なにも若さだけが原因というわけではなくて（若くても自ら行動している人は大勢いる）、そういう時代なのです。

みんな何かに参加したい、関わりたい時代、というわけです。

参加したり、交流したりしたいのです。かまったりかまわれたりしたいというわけですね。参加している自分に価値を感じるので、フィードバックをもらおうものなら、有頂天になったりする人もいるわけです。

　サロンもこの点を踏まえて運営をしていく必要があります。


　もちろん「参加することに価値がある」ということを踏まえて、建設的な交流が図られるように設計する、という意味です。その点は誤解のないように注意してください。

「参加」とは、言い換えると、一方通行の講義的なやり方ではなく、ディスカッション形式が求められているということですね。

「双方向のやりとりに参加したい！」という欲求に応えることが、活動場所には求められているのです！

　参加者さんが、ただ何かを受け取るだけで、アクティブに何かに関わることができない、というようにならないように注意しましょう。

5：適度な干渉

　当然ですが、同じサロンに入っていたとしても、学校と同じで積極的な人と消極的な人がいます。ここで大切になってくるのが「私は消極的でいたいのに、参加を強要しないでほしい」という声に気づけるかどうかです。

傍観者でいたい人だって大勢いるわけですね。

そういう人に、例えば「一週間以内に、全員○○を提出してください」とか言っても面倒に思われるだけです。これは過干渉になります。

誰だって**「私は私のペースで進みたい」**のです。

人はそれぞれ、好みのスピード差がある。ここを考慮する必要があります。だからあえて何かを強要しないことがサロンを居心地のいい空間にする秘訣です。

そして、それと同時に、相反する欲求として「もっと積極的に発言をしたい」というのがあります。

学生時代にも手を上げて質問するのは勇気が必要な時があったでしょう。

本当はよくわからない部分があるので質問したい、でも気が引けてしまう。


「目立つのは嫌だ」

「的外れな質問だったら恥ずかしい」

「でも、先生が指名したからしょうがなくの体だったらやりやすいな」


などと思い、**「先生、当ててくれないかな」**と目で訴えかけたりしたことはありませんでしたか？

そんな感じで、グループで相談を受けている時によくあることで、本当は相談したいけれど、自分から切り出すのは勇気がいるなと言う時が、多くの人にあるんですね。

こんな時には、あえてこちらから質問を投げかけることで、質問をしやすい雰囲気を作る必要があります。

ちなみに、アンケートを取るのはかなりお勧めです。皆が望むこともわかるし、参加している感じもでますからね。

とは言え、この辺の匙加減はなかなか捉えづらい部分でもあるので、コミュニティを運営しながら体得していければそれでいいでしょう。

まずは、強制はあまりしないことです。それでいて放置はしないこと、こちらから投げかけるのは大事、ということを知りましょう。ということで、活動場所に必要なことは大体つかめましたか？

ここまで来たら、あとはそれを実現するために適切な場所を作りにいきましょう！

◆適切な活動場所を作ろう！

活動場所は、

- **リアルタイム活動の場**
- **知識提供のためのコンテンツ置き場（ライブラリー）**
- **交流の場（掲示板のようなもの）**

の三つが必要です。リーダーはこれらを用意します。

一つずつ解説していくのでリラックスして読み進めてみてくださいね。

【リアルタイム活動の場】

先に活動の場に求められていることに「知識」「適切なフィードバック」「メンバー同士の交流」「参加」をあげたのを思い出してください。

リアルタイム活動の場ではこれら全てを提供したいわけです。

例えば「編み物教室」を提供するのであれば、

- **手袋の編み方を解説して（知識の提供）**
- **実際にメンバーと編み始め（参加）**
- **それを見てリーダーがアドバイスをする（適切なフィードバック）**
- **メンバーからのコメントももらう（メンバー同士の交流）**

というわけです。イメージできるでしょうか？

そして、「それらを実現するのに適切なリアルタイムの活動場所はどこかな？」と考えてみます。

地域の編み物教室であれば公民館でいいでしょう。しかし、日本全国にメンバーがいるとなるとそれは厳しいですよね。

そこで「オンラインが最適ではないか？」という発想に思い至るわけです。

では、リアルタイムで編み物の解説ができるオンラインツールは？

「それなら、回線が安定していて録画もできるＺｏｏｍがいいんじゃないか？」となるわけです。もちろん、ＹｏｕＴｕｂｅ配信やＩｎｓｔａｇｒａｍのリアル配信などもあるでしょう。

【コンテンツ置き場（ライブラリー）】

サロン立ち上げ時には**「このサロンの使い方」**だったり、基礎的な知識を提供するコンテンツがあると便利です。ぜひともほしいですね！

例えば編み物教室の場合は、編み物をするための基本的な道具をまとめた「編み物準備編」のようなコンテンツが考えられるでしょう。

また、立ち上げからしばらくして新しく入会したメンバーには、それらと共に、これまで提供してきた知識が整理して置いてある場（ライブラリー）があると嬉しいはずです。

つまり、これまで開催した「手袋の編み方」「マフラーの編み方」などがまとめて置いてある場があるとサロンの価値が高まるというわけですね。

ライブラリーの条件としては、

- **ある日突然、消えてなくなったりしない**
- **メンバー限定で閲覧できる**
- **カテゴリなどの情報が整理されていてわかりやすい**

程度でいいでしょう。

（場合によっては、入会〇日目で表示されるコンテンツのような機能もありかもしれません）。これらを踏まえて、ライブラリーとしてふさわしい場はどこだろう？　と考えてみます。

例えば、ある日突然なくなったりしないようにするには、アメブロやFacebook、YouTubeのようなプラットフォームは、なしとはいいませんが、ややふさわしくありません。

なぜなら、ある日突然アカウントが使えなくなったりする可能性があるからです。

なので、簡単でいいので自分のHPを使うのがいいでしょう。

パスワードなどをセットしてメンバーだけが閲覧できるように設定しておけばいいし、中身は自分で好きなように整理できます。これでコンテンツ置き場は完成ですね。

整理しておきますと、立ち上げ時にはまず、メンバーサイトを用意します。そして、そこにあると便利なコンテンツ（「このサロンの使い方」「編み物準備編」のようなもの）を入れておきます。

↓

Ｚｏｏｍなどでリアルタイムの活動をしていきます。これを録画します（Ｚｏｏｍにはその機能があります）。

↓

それらをメンバーサイトに整理して追加していきます。

と、このような流れです。

【交流の場】

次に、サロンの交流の場として、代表的なプラットフォームの特性を押さえておきましょう。押さえておくべき特性は**「距離感・通知・匿名性」**の三つの条件になります。

・LINEグループ

ＬＩＮＥでグループを作るとリーダーとメンバーの距離感が近いので、良くも悪くもお友達のようなやりとりになりやすいです。

ただ「個別の質問もグループで！」となると、自分には関係ない通知と、重要な通知がごちゃごちゃになって通知されてしまいます。僕にはこれがうるさくてしょうがないから使っていません。仲良くなりやすいですが、管理が難しいです。

・LINEオープンチャット

オープンチャットの特徴は、なんと言っても匿名性ですね。

匿名性のいいところは、気軽に参加ができること。

つまり、浅い関係でも参加しやすいので、初期段階で関係を深めることに適しています。ただ、サロンを前提に考えると、有料サロンには関係が深まった状態でしか入会しないので、使うのなら入会前の段階になるでしょう。

サロンメンバーを匿名で参加させるのは、無料サロンまでにすることをお勧めします。

匿名の短所はサロンを荒らされたりするリスクが高まることですから。

従って、セックスのような本名を出すことがはばかられる場合を除いて有料サロンへ匿名で参加させるのはお勧めしません。

・Facebookグループ

僕がメインで使っているのがこれです。なんと言っても、通知音がピコピコ鳴らないところがいい。そのうえ、アイコン上にうるさく通知が出てこないのがいいです。
また、アンケート機能、アナウンス機能（投稿が埋もれないように最上部に留めておく機能）とユニット機能（投稿を任意の順番でまとめておく機能）も非常に使い勝手が良いです。

投稿されたコンテンツごとにコメントをつけられるので、ＬＩＮＥグループのようにコメントだけがタイムラインで流れていくこともなく、何に対してのコメントかがパッと見でわかり、関係ない人にまで通知されることもありません。

有料のサロンでは実名での参加が適していることを鑑みても、Ｆａｃｅｂｏｏｋグループは実にお勧めできる「場」ですね。

・Ｆａｃｅｂｏｏｋグループチャット

基本的には、ほぼＬＩＮＥグループと同じですが、実名であることで距離感は少し保たれます。ただ、一般的にはＬＩＮＥの方が広く使われているので、ユーザー視点で見た場合の使い勝手はＬＩＮＥに軍配が上がるといえますね。

以上、

- LINEグループ
- LINEのオープンチャット
- Facebookグループ
- Facebookグループチャット

と代表的なプラットフォームの特性を紹介してきました。

どれを交流の場にするかは、メンバーとの距離感、通知、匿名性を踏まえて選択しましょう。

他にもツールは日進月歩でたくさん出てくるので、「これだ！」と思うものがあればそれでも構いません。

ただ、あまりに新しかったりツールの知名度がなく耳慣れなかったりすると、導入に躊躇する人も多くでてくるので、気をつけてくださいね。

では実際どう展開するかですが、ここでも「編み物教室」を例にとりましょう。

これをもし僕がサロスクでやるなら、編み方を伝えるための場所はどこにするのか、Ｚｏｏｍなどを使ってオンラインでライブ配信をするのか、それとも事前に収録した動画をメールで配信するのか？　などを決めます。

その後、Ｆａｃｅｂｏｏｋでメンバー限定のグループを作ります。

あとはメンバーを集めた後になりますが、定期的にＺｏｏｍで「編み物レッスン」を開催します。


事前に「〇月〇日21時〜編み物レッスンします！　今回はマフラーです！」とＦａｃｅｂｏｏｋで通知しておけばそれでＯＫです。

そして、編み物レッスンではメンバーの皆さんとＺｏｏｍを繋ぎ、その場で質問に答えながら編み方を教え、さらにそれを録画しておくのです。

「編み方レッスン（マフラー編）」はこれで終了。


そしてそのマフラーレッスン動画をメンバーの復習用に後でメールで配布したり、メンバーサイトを用意しておいてそこに追加したりするわけです。「マフラーの編み方」のようなタイトルをつけて。

一度見ただけでできるわけではないのですから、これは嬉しいでしょう。

これを続けていくとどうなるでしょうか？

メンバーサイトにこれまでやった「編み物レッスン動画」が溜まっていくわけですね。（後でこのメンバーサイトの閲覧権利だけを販売することもできます。Ｎｅｔｆｌｉｘやスタディサプリのような感じです）。

レッスンの頻度は人それぞれ。例えば本業が他にあって日曜日の夜からしか空いてないというような時は、無理せず「日曜21時から」でいいですし、毎週がキツければ月1回でも構いません。

不定休の場合は、スケジュールが確定した時点で告知すれば良いです。あとから見ることができるので、突然だったり不定期だったりでもクレームが出ることはめったにありません。

ちなみに僕の場合、自分のサロスクでリアルタイム勉強会をするのは月に1回、2時間程度ですし、時々「今日の20時からやります！」と当日発表になることもあります。もしもリアルタイムが嫌なら、事前に録画して好きなタイミングで配信することも可能です。

さて、リアルタイム活動の場、ライブラリー、交流の場の準備ができたなら、サロンの初期メンバーの受け入れ段階はひとまず整ったと考えていいでしょう。次はいよいよ初期メンバー集めです！

▼3－4　初期メンバーを集めよう！

これから初期メンバーを集める方法を解説していきますが、その前に、サロンを大きくしていく流れをざっとお伝えします。

流れをつかんでおくと、この先の話をより深く理解できるはずです。

サロンを大きくする流れは以下の通りです。

・サロンのコンテンツや仕組みを整えるために、初期メンバーを少数（数名程度）

集めます

↓

・数名の初期メンバーを育てながらサロンの運営に慣れていきます。その中で、適切なルール作りや、ステップアップのためのカリキュラムを整えていきます

↓

・環境が整ったら、広くメンバーを募集します

つまり、はじめから広く集めることはしないし、気にしなくていいということです。システムが未完成のうちに広く集めて、ずっこけないように、まずは、初期メンバーを集めて運営ノウハウを自分にためていくのが遠回りのようで実は近道なのです。

では、初期メンバーを集める確実で効率のいい方法とはなんでしょう?

それにはいくつかの方法がありますが、最も早いのは身近な人に声をかけることですね。

もちろん、ただ入会しただけでは意味がないので、無差別に集めるのではなく、一緒に活動できる人だけに絞る必要があります。

しかし、そのようにしっかり審査をすると、身近にサロンメンバーとしてふさわしい人がいない場合もよくあることです。いえ、大半の人がそうでしょう。

場合によっては、オンラインサロンをよくわからない人から「絶対に上手くいかない」とバカにされたりもするかもしれません。もちろんそんな人は勧誘しなくて大丈夫です。

ただ、そうすると人が足りなくなるかもしれません。ではどうするか？

もちろん、そういった場合は、便利なネット上の個人メディアを使うのがお勧めです。つまり、SNSや動画サイト、ブログを駆使するというわけですね。

イメージしやすいように、編み物教室を例に出しましょう。

僕が「編み物教室やりたいです！」という人に、初期メンバーの集客を相談されたとしたら……。

ここでは仮に、その人の名前をアミコさんとしましょう。

例えば、要望として**「編み物教室に初期メンバー数人を集客したい。でも、お金はあまりかけたくない」**という相談ですね。

そうしたら、こんな感じで考え、助言をするでしょう。

「編み物を習いたい人が集まっている場所はどこだろう？」

↓

「雑誌に広告を出すのはお金がかかるからNG。SNSはどうか？ Instagram、YouTube、アメブロ、Facebookどこにでもいるな」

↓

「YouTube用に編み物動画を編集するのは技術がいるため、ハードルが高いのでやめよう。他の選択肢で最も簡単なのは、ブログやFacebookほど文章量を必要としないInstagramかな？」

↓

「では、Instagramを使っていこう。画像メインなので編み物とは相性が良さそう」

というわけで、Instagramで「編み物アカウント」を作って集客することをお勧めするでしょう。

そして、見込み客と仲良くなり、アプローチしていく……というわけです。

もちろん、アプローチして見込み客がアミコさんのInstagramを見に来たところで、そこに全く投稿がなかったり、投稿があったとしても編み物と全然関係のない内容であったりしては意味がありません。

「同じ趣味を持つ人だ！」と感じてもらうためには、事前に自分の作品を10点ほど投稿しておくといいでしょう。

もちろん、多ければ多いほどよいです。

くれぐれも、今日のランチなんかを投稿しないように気をつけましょう。（笑）

アカウントの内容も、編み物なら編み物で統一です。

この投稿内容を統一する、というのはとても大事なので守ってくださいね。

仲間と一緒に編み物をしている様子などの画像があれば、それらも投稿しておくとよいでしょう。

また、初期段階においては、キャプション（文字の部分）もある程度は記載しましょう。

投稿した編み物に使用した毛糸の種類、編む時に使った道具、編み方のコツなどを記載していく。

こうすることで、あなたが編み物に対する一定の知識があることが伝わります。つまり、あなたへの信頼に繋がるわけですね。

そうそう、プロフィール欄もわかりやすく記載して、そこにメルマガやＬＩＮＥへの誘導リンクを貼るのも忘れないでおきましょう。

Ｉｎｓｔａｇｒａｍだけでもダイレクトメッセージを送ることはできるのですが、Ｉｎｓｔａｇｒａｍのアカウント削除のリスクを考えると、保険として別のところでも繋がっておきたいところです。

また、ＬＩＮＥやメルマガは一括で送れるというのが大変素晴らしいですね。関わり合う人が何十人にもなってくると、一つ一つメッセージ送っていくのは大変ですし、スパム扱いすらされかねません。

昔の商人は、火事になっても顧客台帳だけは抱えて逃げたと言われますが、理由は同じです。「お店＝アカウント」「火事＝アカウント凍結、アカバン」だと捉えてもらったら良いです。

お店が火事で灰になっても顧客台帳があれば商売を復活させられていたように、アカウントが使えなくなっても顧客リストさえあれば、その後収益をあげるのは容易なのです。

「一括で連絡できる連絡網」をぜひ持っておきましょう。

これらを設定したら、編み物教室のInstagram集客の事前準備は終了です。

では、ここから編み物に興味を持つ、見込み客へのアプローチはどのようにしたらいいのでしょうか？

もし今Instagramを開けるなら開いてみてください。

Instagramの投稿画面の下にある虫眼鏡から「編み物初心者」などで検索をしたら、そこには「編み物サロスク」の見込み客の投稿がズラッと表示されますね。

あとはその人たちをこちらからフォローしていけば一定の割合でフォローバック（フォローし返してもらうこと）があるわけです。

特にインフルエンサーのフォロワーにはこちらからフォローしていきましょう。ただ、一度にあまりにも多くの人を連続してフォローするとアカウントが凍結されるリスクが高まるので注意が必要です。

時期によって変わるので一概には言えませんが、一度に20人程度をフォローしたら、中1時間程度空けてから再びフォローを始めるのが無難ですね。

フォローを外す際も同じです。

ただポチポチとライバルのフォロワーをフォローしていくだけです。シンプルなこと極まれり。これならＷｅｂ集客初心者でもできますね。

ただ、フォローする相手は選びましょう。

ハッシュタグ検索をすると、見込み客と同時に、ライバルもズラッと表示されます。その見込み客やライバルの投稿に最近「いいね！」をしている人が見込み客です。一年前の投稿に「いいね！」している人をフォローしても、反応がない場合がありますのでお間違えなく！

こうしてフォローしてくれた方が一定数「編み物アカウント」を見に来ることになりました。編み物に興味のある人が見に来るのだから濃い見込み客なのは言うまでもありません。

その中でさらに一定数が、プロフィールに設定しておいたURLからメルマガやLINEに登録するというわけです。

これで見込み客と連絡を取れるところまでは達成です。

ちなみに、今回は編み物を例にとったのでInstagramでの集客を採用しましたが、毎回必ずしもInstagramがベストな選択というわけではありません。

Facebook、Twitter、YouTubeなどはターゲットやサロンで提供する内容によって使い分けましょう。

何を選ぶにしても押さえておきたいのは、各プラットフォームのユーザー層とコミュニケーション方法ですね。

つまり、Instagramのユーザー層は20〜40代の女性が多くて、画像でのコミュニケーションがメインだとか、YouTubeのユーザーは年代問わず幅広く、動画でのコミュニケーションだとかだけは押さえておきたいところです。

この辺は随時変化するので直近のデータを確認しましょう。ネットで「○○ ユー

ザー層」と検索すればすぐにわかるはずです。

◆交流して仲良くなり、誘いをかける

さて、見込み客の連絡先がわかったら、ここからは個別に連絡を入れていくんですが、**いきなりサロンの紹介をするのは完全にNGです。**

当たり前のようですけど、こういう人がたくさんいるんですよね……。

いきなり売りつけたって怪しいだけですよ？　はっきりいって、それはただの迷惑行為です。よく知らない人に「サロン入りませんか？」とか言われても無視するか、ほとんどの場合は入ろうとするはずがありません。

なんだったら即座にブロックするでしょう。

そうではなくて、相手は人だということを念頭に置いて、人と人とのコミュニケーションを取っていきましょう。入学式当日よろしく、ゆっくり、最低でも一週間くらいは時間をかけて関係を育てていくのが大事です。

自己紹介から始まり、どんなものを編んでいるのか、なぜ編み物をしているのかなどを伝え、相手の反応をもらいながらコミュニケーションを取っていきます。

そして、機が熟した頃にサロンに誘ってみましょう。

これら一連の流れを経て、一人また一人と初期メンバーが集まってきます。

ただここまで言うと「これを永久にやるの？　大変じゃん！」と思うかもしれませんが、それは心配ご無用です。これをずっとやっていくわけではありません。あくまで最初だけです。ある程度のところで、人が人を呼ぶ状態になり、自動化できるのでご安心を。

というわけで、「もし編み物教室をやるとしたら初期集客はどうするか？」を書いてきました。

大体イメージはつかめたでしょうか？

ここで、ちょっとだけ注意点を。これを伝えると手のひら返しをしてしまうようですが、実は慣れてきたらサロンの初期集客を含めて、全部をはじめから自動で行うことも可能です。

ネットにはそういう集客の広告もあふれているので、もしかしたら、心が惹かれるかもしれません。ですが、いきなりそれをやるのは、お勧めしません。

なぜなら、そのためにはサロンの見込み客が求めていること、よくある質問とそれに対する適切な答え方、何をどんな順番で伝えたら反応がいいのかなどを知っておく必要があるからです。

自動とは、手動で高確率で成果が出せるような人が手をだすものです。一人すら誘うのもまだおっかなびっくりな初心者が手を出すのは危険だと言いたいところです。

なのでまずは一対一のやりとりをしばらく続けた方が無難です。

そこで経験を積み、手動でももちろんできるけど、大変になってきたなぁというぐらいから自動化した方が、反応の良い仕組みを作ることができるはずです。

最初から効率を求めたがゆえに、経験不足から反応の悪い仕組みを作ってしまって、自動でお客どころか、自動でアンチを作り続けているなんてことになってしまうと逆に効率が悪いので注意しましょう。

ゆっくりと関係を育てていき、機が熟したと思われるタイミングで、あなたのサロンを紹介するのがいいのです。

そして伝える段階になったら、

- **何のためにサロンをやっているのか？**
- **サロンに入ると、メンバーにはどんな未来が待っているのか？**
- **内容と費用は？**

などをあらかじめ決めておいて、伝えましょう。

初期メンバーを集める際は人数は限定的で構いません。

時間を相手に合わせたりする手間がかかるとしても、成約率の高いコミュニケーションを取るのが一番効率がいいです。

例えばチャットでもメールでもいいでしょう。

兎にも角にも初期メンバーを集めましょう。

あとそうそう、初期メンバーを集める時に、いくつか注意点があるので、先にお話しておきますね。

「トラブルを起こす人」を入れてしまった場合の注意などです。

◆集客の注意！　ふさわしくない人まで入会させない

あなたがビジネスをやる理由に、お金がほしいというのはもちろんあるでしょう。

それは、全く問題ありませんが、やってはいけないことがあります。

それは**「目の前のお金につられて、サロンにふさわしくない人を入会させること」**です。


これは、はっきりNGです。

例えば、メンバーにしつこく自社製品の営業をしてみたり、威張ってみたり、活動場所を私物化してみたり。

そういうことをする人を入れたり、あるいは入れたあとに気づいても、何も手を打たず放置したりする、ということはやめましょう。

これをやってしまうと、今いるサロンメンバーに迷惑がかかってしまうなんてことになりかねないですし、多くのケースで、その人のせいでたくさんの人がやめたなんてことも見受けられるからです。

ビジネスが上手く回っていない時なんかは特に、なんとかして利益を出そうと、普段なら入会させない人まで入会させてしまいたくなってしまうことがあるかもしれないけれど、ここは絶対に我慢しなければいけないところです。

そもそも、利益は下がっても、そこで思考を巡らせてバージョンアップさせれば、そのあとは以前よりも利益は上がるものなので、少し辛抱しながら、サービスの充実をはかることにしましょう。

一瞬の利益よりも、自分のグループの治安が大事です。

そこを強く乱しそうな人は、最初から入れないということを、徹底しましょう。

とはいえ、それでもふさわしくない人がサロンに混じってしまうことはあります。入会前に見抜けないことはもちろんあるでしょうし、最初はとても良かったメンバーが変わってしまうこともありますからね。では、そうなった時に、どうしたらいいのでしょうか？

◆ルールを明確にしよう

どんなに注意していても、運営するサロンの文化と合っていない人が入会してしまうことはあるものです。他にも、入会した時とは考え方が変わってしまった結果、サロンにふさわしくなくなってしまう人もいます。

例えば、成果を出したら態度が大きくなってしまったり、後輩ができた途端、偉そうにしたり、そういう人ですね。そんな時はどうしたら良いのでしょうか？

まず大事な心構えとして、その人がいなくなってしまうことを嘆かないこと。

周りに迷惑をかける人なのに、利益が減ってしまうからとか、そういうことを考えていたらサロンの運営が上手くいくはずがありません。

そして、強制退会をいとわないことです。

そのためには事前にルールを明確にしておく必要があります。

例えば、メンバーサイトへの投稿内容なら、質問はいいけど井戸端会議はＮＧとか、相手に許可なく友達申請はＮＧとかですね。

運営するサロンの文化に合わせて設定しておきましょう。

「強制退会の場合は、返金しません」なども明文化しておいていいでしょう。

強制退会なんていうと、まるで鬼かと思われるかもしれないですが、実際のところ僕はこれまで強制退会させた人は一人もいません。

なぜか？

それは入会の段階でメンバーを絞っているのもありますし（100名規模のサロンでは、そもそもサロンの文化を壊そうとする人がほとんど出てこないこともありますが）、**一番の理由は、こちらの運営の方針とズレちゃってる人には「ズレちゃってますよ」と伝えているからです。**

大抵はそこで気がついて改めてくれるので、強制退会させた人はいないのです。

そして、ズレちゃってますよ、と伝える時に重要なことは、相手の事を否定しないことです。

別に相手は間違っているわけではないので、否定する理由がありません。

そして往々にして、そういう人は面倒見が良かったり、いい人だったりします。

そういうのがちょっとズレたり、暴走しただけで。なので、伝えたら伝わるものです。

ただ、それでも伝わらなかったら、残念ですが、強制的に退会させましょう。

ルール作りについては、もう一つ気をつけるべきことがあります。

◆守られないルールは、サロン運営者の責任

オンライングループの参加者として、困ることは、どうでもいいAさんとBさんのやりとりがピコピコピコピコ通知されてくることです。

下手すると夜中の1時や2時でもお構いなしに、通知音が鳴ったりします。

こういうのは誰だってやめてほしいはずです。


「通知音が嫌だったらスマホが鳴らないように設定すればいいじゃないか」と思うかもしれません。確かにその通りです。

ですが、そこは運営者として通知音をオフにする設定がわからず、それができない人がたくさんいるという事実を認識する必要があります。また、いつもは鳴らないようにしているのに、時々忘れてしまうなんてこともあるわけで、そこは配慮してあげなきゃいけません。

「だったら21時以降はメッセージのやりとりをしないでください」とルールで縛ればいいと思う人もいるかもしれないけれど、いつの間にか忘れてしまう人が必ずいます。そういう人はルールを忘れてメッセージを送ってくるため、その人には、悪気がありません。言ってみれば、その人も、簡単に忘れてしまうようなルールの被害者なのですね。（もちろん、意図的にルールを破る人は別です）。

ではこの時、責任の所在は誰にあるのか？

それは、**守れないルールを設定したサロン運営者にある、**と思っておいた方がいいです。

そうでなければ改善につながりません。非常にもったいないことです。

ビジネスでは常に、メンバーのストレスを減らせるだけ減らすことを考えなくてはいけません。メンバーのために、自分が頭を使うのです。

適切なルールを作れば、メンバーだけでなく、最終的にはサロン運営者が一番快適にそのサロンでの時間を過ごせるでしょう。

参加者の状況をみつつ、適切なルール作りを怠らないようにしましょう。

◆入会金の決め方

継続率を上げるために、入会金を設定することをお勧めします。

10万円以上がいいでしょう。

収益を増やすために設定した方がいいのかと勘違いさせてしまいそうだけど、そうではありません。

入会金を設定するのは、メンバーが目標達成するための環境を作るためです。つまり、ある程度の金額の入会金を設定することで、それを支払う意識の高いメンバーだけを集めることができ、本気にさせる効果があるのです。

例えば、僕のサロンの入会金は約20万円です。この金額だからこそ意識の高いメンバーだけが集まっています。大げさでなく、人間性もいい人だらけです。

しかも、このくらいの金額に設定すると、これから個人ビジネスを始める専業主婦から、すでに年収2000～3000万円くらいの人まで入会します。

するとどうなるか？

前述の通り、グループが活性化します。実力が上から下の人まで入ることで、**面倒見のいい人、の出現率が上がります。**

地域の勉強会では既に実績を上げているメンバーに有益な相談ができたり、サロン全体のＦＢグループでも、メンバーの質問が自分の専門分野だったりすると、業界の流れや上手くいっているパターンまで色々とアドバイスしてくれます。

また、コストをかければかけるほど、それを回収しようという気持ちになるのが人間です。心理学で言うところのサンクコストです。なんとしても元を取ろう！　という気持ちになるのですね。

僕の周りのビジネスが上手くいっている人たちを見てみても、彼らの共通点として、もれなくサンクコストを支払っています。**サンクコストなしに目標達成などないと断言してもいいぐらいです。**

なので、メンバーがある程度努力が必要な目標を目指すことになる場合は、あえてそれなりの額の入会金を設定するのがお勧めです。

ただし、サロンに入会する目的が「なんとなく入ってみようかな」というような人を集める場合は、動機がふんわりしているので入会金を設定すると集客が難しくなるので避けた方が無難です。

「いつ入っても、いつ抜けてもいいよ」くらいのスタンスにした方がいいでしょう。

オンラインサロンには大きく分けて2パターンあります。

1：リーダーが強烈なリーダーシップを持っている

2：コンテンツ内容も目的も明確

の2パターンです。

強烈なリーダーシップを発揮するのであれば、それに惹かれただけのようなふわっとした動機で興味を持つ人が多いので、入会金はなしにした方がいいです。

逆に2の場合は動機が明確で、達成意欲から興味を持つので、逆に入会金を設定しましょう。

◆ベストな定額費の決め方

入会金を決めたら、次は定額費の決め方です。これは大きく分けて二つです。一つは、月1000円前後の格安プラン。もう一つは、月1万円くらいからのプラン。このどちらかの路線を勧めます。

1000円前後だと、かなり安いため気軽に入会しやすいし、一時期意欲が低くても「あ、そういえば入っていたな。でも、抜けるほど価値がないわけじゃないし、なんかもったいないからまあいいか」と惰性で入り続ける人が多いです。そして、そういう人が意外にあとあと活発になったりします。

逆に1万円前後ですと、払っている額も安くありませんから「無駄にしないために頑張るぞ！」と高い意識と意欲で参加します。マナーも非常にいいメンバーが多いですし、積極性も高いです。

3000円～7000円などの中価格帯は、惰性で続けるにはもったいないと思い始める額ですし、かといって本気になるほどの金額でもないのです。

ということで、入会率が低かったり退会率が高くなったりするわりには、メンバーの意欲が高くなるわけでもない、と中途半端なことが多いなと感じています。

僕の周りでは、上手くいってるところは、月額1000円以下か、月額1万円以上かとはっきりと分かれているところが多いですね。

なので、このどちらかの路線を基本的にはお勧めします。

【補足】決済システムについて（ＰａｙＰａｌ、アナザーレーン）

定額課金制の商品を販売する場合、意外と面倒なのが入金の管理です。

でも、今はＰａｙＰａｌやアナザーレーンと言った自動的に定期決済をするシステムがあるので大変重宝しています。決済サービスは他にも色々とあり、費用が異なるのでご自身に合ったものを使ってみてください。

さて、ここまでが、初期メンバー集めのお話です。

では、次からいよいよ、集まった初期メンバーと、最初は何をしていくか？　のお話をしますね。

▼3-5　初期メンバーとサロンを育てよう！

初期はサロンの基礎固めをする上で非常に重要です。なぜなら、サロンで教える内容を自分の頭だけで考えてコンテンツにすると、メンバーの思わぬつまずきポイントに気がつけないものだからです。

と言うのも、自分の技術レベルがある程度に達すると、まだ何もできなかった初心者の頃の自分を忘れてしまっていることが多いので、それを忘れたままサロンを運営すると一人よがりなものに陥りがちになるからです。

メンバーとどのように接するべきか、その方法をお伝えします。

◆メンバーの8割が牛歩。それでも信じる

責任感の強い人ほどしてしまう勘違いの一つに **「メンバー全員最速で結果を出すことを求めている」** というものがあります。

これは強く言っておきます。その考えは、間違いです。

メンバーの中には最速を望む人もいれば、自分のペースで無理なくゆっくり進んでいきたい人もいます。受験では試験の日が決まっているからどうしてもそこに合わせなくてはならないけれど、いついつまでに結果を出さなければならない、というようなものは意外と少ないのです。

また、目標だって人それぞれです。

例えば僕のビジネス系サロンでは、まずは「自力で稼ぐ力」をつけるための方法を伝えているのですが、基本的にはそこに期限は存在しません。

3か月後でも3年後でも、それは本人が自由に決めることです。

収入だって、月10万円でもいいし、1000万円でも1000万円でもいい。目標金額も本人が決めることです。目標金額が増えれば、そこに注ぐ労力や時間だってそれに応じて増えます。なのでそれらは、それぞれのライフスタイルを考慮して決めるところなのです。

全員で足並みをそろえて「6か月後に月収100万円達成！」なんてやらなくていいです。いや、むしろオンラインサロンではやらない方がいいです。

稼ぐ系でもダイエット系でも資格系でも、すぐに成果を出せる人もいれば時間がかかる人もいます。それまで培ってきた土壌が人それぞれ違うのだから当然です。

他にも、子供が風邪をひいたり仕事のシフトが変わったりで、スムーズに行動できないなんてことはよくあることです。

現実的には、猪突猛進で突っ走っていける人なんてごくわずか。

やる気の面でもそうですが、そもそも環境やリソースや性格が千差万別なのですから。だから期限も目標もメンバーに自ら決めてもらった方が健全というものです。

中々成果が出ないメンバーがいても、信じて待っているのがリーダーの役目です。ゆっくり進んで当たり前。牛歩の歩みを、そばで見守ってあげましょう。

◆メンバーと適正な距離感を保つ

サロン運営においてはリーダーであるあなたと、参加メンバーの「距離感」を意識する必要があります。

メンバーがリーダーのことをあまりにも雲の上の存在だと感じてしまうと、質問が

しにくくなってしまいます。

それではフィードバックもできないのでメンバーは能力を伸ばせなくなってしまいますし、グループチャットがあったところで誰も発信しないなんてことになりかねません。

だからと言って同列になってもダメです。

これだとあなたは便利屋になりかねません。自分で調べれば1分でわかるような、しょうもない質問すらもたくさん来て、それらに毎日対応するという、ゼロ時間労働からは程遠い状態になってしまいます。

では、適切な距離感とは何か？

意外かもしれないですが、適切な距離は**「メンバーよりもほんのちょっと下」**です。

「でも、それじゃ益々便利屋化しないか？」と思うかもしれません。その通り！ただ下になっただけでは便利屋化してしまうので注意が必要です。

ここで言う、ほんのちょっと下というのは、リーダーとしてヒエラルキーのトップにもいける状態にいるにもかかわらず、あえて自らメンバーよりもほんのちょっと下のポジションをとる、ということです。

当然、旧時代的なトップダウンなんて想定したらＮＧ。ちょっとわかりづらいですかね？

例えばです。
あなたが、ビートたけしさんとモツ鍋を食べに行く機会があるとします。
その時にたけしさんがあなたのお鍋をわざわざ取り分けてくれたら、「いやいや、私がやりますから、たけしさん、やめてください。やめてください〜〜〜！　殿〜〜〜!!」となりますよね。

そういうイメージです。
トップであることは示しつつも、メンバーと接する時は、少し謙虚に振る舞う。そのぐらいのバランスをお勧めします。

◆細かい悩みまであぶり出して、コンテンツ化する

僕の場合、「個人の稼ぎ方」を教えているのですが「メンバーがやりたいことがわからない」なんて言うつまずきポイントの見落としがあったりしました。

やりたいことなど、誰でも持ってると思い込んでいたんですね。

でもよくよく思い出してみれば、かつては自分もそうだったのです。常にやりたいことがある状態が何年も続いている今の僕だと、それを忘れてしまっていただけだったんです。

このようなつまずきポイントに気づき、答えられるようにしておくこと、そして、もはやこの相談がこないような状態にしておくことが初期の段階では特に重要です。

そして**「やりたいことがわからない人は、このページ（動画）を見てセルフカウンセリングをしてみてね！」**といったコンテンツをあらかじめ用意しておくのです。

これをしておくことで、あとでサロンメンバーが大人数になった時に一人ひとり、同様の質問に答える必要が大幅に少なくなるので、運営としても楽になります。そのため、スムーズに先に進むことができるので、メンバーも嬉しい、というわけです。

この時の僕はメンバーからの相談のおかげで、初心者の頃はとにかく**「家族のためにお金を稼ぎたい」**と思ったことが、個人ビジネスを始める初期の動機だったのを思い出しました。

そしてその後、心理カウンセラーに協力してもらって、**「動機の掘り起こしのためのコンテンツ」**や**「とにかくまずは稼いでみるためのコンテンツ」**を用意することができました。

サロスクを始めてみるとわかることですが「そこ悩むか〜！」という質問は意外に多いんです。

それらを初期メンバーとコミュニケーションを取っていくことで一つ一つ浮き彫りにして解決できるコンテンツを用意しておきましょう。

このようなことをメンバーとのコミュニケーションを通して初期段階でやっていくことが、かゆいところに手が届くサロンへと成長させていく秘訣です。

◆自分で答えられない相談は、メンバーの力を借りる

似たような話で、自分では答えられないようなこともメンバーとなら答えを出せることがあります。例えば「家族の反対」なんていうつまずきポイントなんかもそうです。**「そんな怪しいこと（ビジネス）やるのは反対！」**ってやつですね。

これを相談された時、家族が反対しようが特に気にして生きてこなかった僕は、正直なところ、適切な答えを持っていませんでした。

僕は、「反対するのは家族の自由なので、好きなだけ反対してもらっていい。同時に僕が僕の責任でどう生きるかは、僕の自由なので好きにさせてもらいます。迷惑はかけないよ」というスタンスなのですが、それが全ての相談者に当てはまるわけではありません。

むしろ、家族の性格や自分の立ち位置が違うので、ズレてしまっていることも大いにあるわけです。そんな、答えが一つではないような時はサロンメンバーの力を借りましょう。僕は結構頻繁に協力してもらっています。

ちょうどこの時も、「家族の反対にどう対応していますか？」というメンバーの投稿に、同じくメンバーの皆さんが各々の対応方法をコメントしてくれました。（このようなメンバー同士のやりとりがサロンの結束を強めていくんですね）。

すると面白いもので、対応方法は大きく2パターンしかないことがわかりました。つまり、「時間をとって真剣に想いを伝える」と「結果が出てから打ち明ける」の二つです。

この時の相談者はメンバーの意見を参考に、自分の状況に当てはめて行動を選択してくれました。こんなふうに、自分では答えられないものは、サロンメンバーの力を大いに借りましょう。

ただ、「わかる人いますか？」「こんな時、皆さんどうしてますか？」とメンバーに聞けばいいだけ、簡単ですね。

変に偉ぶらない態度をとっていると、こういうことができるようになります。

ちなみに前述の例で、僕の対応方法は少数派であることがわかりました。

自分の対応だけが唯一無二の答えなのだと思い込んだまま相談者に答えてしまうと

「そんなの無理！」となって相談者が先に進めなくなってしまうことがあるので注意しましょう。誰しも世間からズレてしまっている部分があるものです。

そしてそれは個人ビジネスをする上ではユニークポイントになって有利なんですけど、時折、諸刃の剣となってメンバーの行動を止めてしまうこともあるわけですね。そこだけは注意しましょう。

「わかりません」なんていうと、メンバーからの信頼を失うんじゃ、と危惧して、全部自分で答えようとしてしまう人もいますからね。

グループ内で、何でも知ってる神様のように振る舞っている人にありがちです。

さて、こうして悩みをあぶり出して一つ一つコンテンツにしたり、メンバーの力を借りたりしていくと、労力がどんどんかからなくなっていきます。と同時に、ほとんどのことはコンテンツになっていきます。

メンバーの疑問が出てくるタイミングで先回りして必要なコンテンツを配布したり、メンバーサイトに「よくある質問・相談」のような形で掲載したりしておけば、まずはそこを見てくれるので、あなたが答えずとも疑問は解決されていくというわけです。

不必要に時間を使うのは理想的じゃありませんからね。でも、こうやっていくと、それがどんどん削られていきます。

初期は、メンバーと、それを作るのが大事になります。

メンバー同士で質問と回答をしていくことで、サロンが活性化するとメンバー同士の関係が深くなっていきます。あまりにどうでもいい（例えば芸能ゴシップ情報のような）井戸端会議を始めないようにだけ目を配っていれば、それでよいでしょう。

もちろん、リーダーである自分とメンバーとの関係も深まっていきます。

こうして、初期段階にサロンで活発なやりとりがされると、サロンの雰囲気が形成されていくんですね。

この雰囲気はメンバーが作るものですが、成り行き任せにしておくとシラーっとした寒い雰囲気になりかねません。

なので、特に初期段階ではリーダーが意図的にメンバーがリアクションしやすいような環境を作る必要があるわけです。

と言っても、特に難しいことではありません。

例えば、「アンケートを取る」でもいいでしょう。

僕は月に一回、サロンメンバーとグループの相談会（グループコンサルティング）をやっているのですが、その時にこんなアンケートを取ったりします。

＝＝＝＝＝＝＝＝＝＝＝＝＝

【グループコンサルティング開催します】

グルコンやりますので以下の中から参加できる日に全てチェックを入れてください。

21時からです。

○月○日

△月△日

◎月◎日

＝＝＝＝＝＝＝＝＝＝＝＝＝

こうすると、メンバーが自発的に参加しやすいですね。

ついでに、**「相談内容をざっくりでいいのでコメント欄に記入しておいてもらえたら、より具体的な回答をするための情報を集めておきます」**のように記載しておくと、コメントも色々つきます。

すると、どうなるか？

そこにメンバーからのリアクションがついてくるんですね。「いいね！」だったり、「それ私もききたかったんで助かります〜！」とかそういう感じのものが。

メンバー同士がコミュニケーションを取り合ってサロンが活性化している様子が伝わるでしょうか？　これがサロンの雰囲気になっていくんですね。

アンケート一つとっただけでもここまでできます。

すごく楽しいのでお勧めです。

すると不思議なもので、必ず「面倒見のいい先輩」が現れるものなのです。

◆面倒見のいい先輩というありがたい存在

サロンを運営していくと必ず現れる「面倒見のいい先輩」とは、自発的にメンバーの質問に答えてくれるとてもありがたい人のことです。

この人がいてくれるおかげで、サロンは有意義なものになります。

なぜなら、サロンメンバーが質問しやすくなるからです。

と言うのも、リーダーがどんなに気をつけていても、なんだかんだリーダーに質問することにハードルを感じる人は多いものです。

「こんな質問していいのかな？」、「今更こんなこと、質問できないよ」となってしまいます。

でも、自分と同じサロンメンバーにならハードルは低くなりますので、「ちょっとわからないから誰か教えてくれる？」くらいの気持ちで質問できます。

もし質問したところで誰もリアクションしてくれないとどうなるか？

シラケてしまいますね。それをみてる他の人たちも、そのうち、誰も質問しなくなっていきます。活気がなくなっていくわけですね。

そういう時、面倒見のいい先輩が答えてくれるのですが、とてもありがたいんですね。**なので、サロンを大きくしていく段階を見越して、初期段階ではこの面倒見のいい先輩を育てることをしましょう。**

つまり、初期メンバーには特に知識と技術を惜しみなく伝えましょう。ものすごく、力になってくれますからね。

メンバーが質問しやすい場を作ることも重要です。なので僕のサロンでは、僕たちリーダーに質問する場と、メンバーに質問する場を別で作っています。

つまり、Ｆａｃｅｂｏｏｋで専用のグループ「それゆけ！　ビギナーズ！」を用意しているわけです。

ここでの質問には僕やパートナーの福田君は一切答えない事を、原則として明記しています。

こうすることで、質問をするハードルがぐっと下がります。最近では「それゆけ！ビギナーズ！」の方が活発にＱ＆Ａが行われているくらいですね。

この状態は新人さんのつまずきがスムーズに解消されるという面でも、ゼロ時間労働という面でもありがたい。とにかく、面倒見のいい先輩はありがたい存在なのです。

そして、これは本題とはズレる話ですが、面倒見のいい先輩ほどすぐ成果を出していく傾向があるのは面白い話です。

「与える人は得る人だ」というのは間違いなく真理だなと感じます。

さて、こうして「サロンの文化」と共に「ゼロ時間労働」の下地を作っていくわけです。まとめると、まずよくある質問を想定し、その答えをコンテンツ化しておき、疑問が起こる前に解決します。そして、そこで拾い切れない質問は、メンバー同士で解決できるようにしておきます。

つまり、初期段階で**「サロンが自走する下地」**を作り上げていくのです。

これがゼロ時間労働を実現する上でとても効果的なのです。サロンの環境が整うまでは早ければ2週間、かかっても1か月もあれば十分でしょう。ちなみに、サロンは成長し続けるものなので「これで完璧！」というのはありません。

なので、自分の感覚で8割ぐらいできたら集客を強化して規模感を広げましょう。

100%完成だ、自分のサロンに一点の不満もない！　という状態を目指すと、永久に広げる段階にいかないので注意してください。

そのあとは、例えば入会金を10万円に設定して、集客を強化して年に100名（1か月8~9名）が入会すると、入会金だけで年収1000万円を超えますね。それとは別で、月謝を1万円に設定すれば100名で毎月100万円です。

ただ、もちろんこれは誰もやめないことが前提の話ですが。

継続率に関しては、僕のサロンだと8割以上の方が1年以上継続してくれています。(経営者だけを集めるサロンだと、経費にできる関係もあって、9割以上が継続するサロンもあります)。

これはかなり高い方で、最初は1年後に半分残れば御の字みたいになるとは思います。だんだん慣れていくので、そういうものだと思って経験値をためていってほしいですね。

でも、仮に入会金10万円で100名が入会して、2年目以降8割のメンバーが継続してくれたら、入会金と合わせて2000万円くらいの年収となります。それだけ残れば十分じゃないでしょうか？

会社員ではなかなかない収入ですからね。

さらに、毎年１００人ずつメンバーが増えていったらどうなるか？ 夢が膨らむ話ですね。そしてこれは、あなたにも十分可能なお話なのです。以上が、サロンの初期の整え方です。

次からは、より本格的に成功するための話や、ＳＮＳの利用の仕方の話をしていきましょう。

4章

「サロスク」＝「オンラインサロン×サブスクリプション」で大成功するには？

ここからは、サロスクで本格的に成功するには？　という話をしていきます。

やや専門的な話も多くなりますが、この章からの話をマスターすれば、月3桁、4桁万円の収入も夢ではありませんので、是非読み込んでください。

▼「こちらから一括連絡できる顧客リスト」を持つ

さて、サロンに集客というと、見込み客を一直線で誘うのが基本に思えるでしょうが、実はそうではありません。

その前に、見込み客の方と「連絡先を交換」するステップが入ります。

連絡先がないと、一期一会の出会いで終わってしまいますからね。

LINEでもFacebookでも何でも、何かしらの連絡先を知るのは大事です。

連絡先を交換し、そこでやりとりを行い、最終的に誘うというのが基本です。

そして、これは「こちらから一括で連絡できる連絡先」であることが望ましいです。

メルマガや公式LINEへの登録を促すのがメジャーですね。

別の言い方でいうと、顧客リストを増やす、ということになります。

そして登録者に一括で**「〇〇企画をはじめました。参加したい方はどうぞ！」**などという感じで誘ったりしていくわけです。

ＹｏｕＴｕｂｅのチャンネル登録者や、ＴｗｉｔｔｅｒやＩｎｓｔａｇｒａｍのフォロワーはこちらから通知が基本的にはいかず、あちらが見たい時にしか連絡が行き渡らないので、やや違います。

このメルマガやＬＩＮＥの「一括で連絡できる連絡先」を増やしていくこと（登録者を増やしていくこと）が、集客を本格的に行いたいなら、あなたの活動テーマになります。

これは規模を大きくし、本格的なビジネスにしていくなら、必須といえるでしょう。

▼SNSやブログで「無料の情報」を公開して人を集める

ご存知の通り、一口に集客と言っても方法は無数にあります。

テレビＣＭ、チラシ、看板、フリーペーパーなど、古典的な方法もありますが、はじめは極力お金をかけたくないというのが本音でしょう。

そこで便利なのが、何度も言うように、インターネットを使った個人メディアです。初期メンバーを集める際に利用したＴｗｉｔｔｅｒ、ＹｏｕＴｕｂｅ、

ＩｎｓｔａｇｒａｍにＦａｃｅｂｏｏｋなど、たくさんの人が集まっていますし、無料で使えるものを活用しない手はありません。

この章では集客の本質や、さらに効率よく集めるための方法を解説していきますね。

しかし、この話を進める前に注意点があります。

僕が「ＳＮＳを使って集客するのお勧めですよ」と言うと、「ＳＮＳならやってみたけど全然集客できませんでした」という人が時々いらっしゃいます。

「どうやったの？」ときいてみると、ほとんどの人が、使い方が間違っているのです。

たしかに、習ったことがないだろうし、無理もない話です。

ただ「ＳＮＳでは集客できない」とかいう話を耳にしたことがあるようなら、これからは、「その人には使いこなせなかったんだな」ぐらいの認識でいてください。

現実的に、ＳＮＳだけで集客している人は大勢います。

先に紹介したネイルサロンの友人もマネーコーチを運営している友人も僕のサロンのメンバーもＳＮＳで集客しています。

無料でとても使えるので、「ＳＮＳでは集客できない」という説に惑わされないようにご注意を！

そして、ＳＮＳとは違った良さのあるブログもあわせて活用していきましょう！

それでは、今回はサロンへの集客がテーマなので、サロンの入り口となる、メルマガやＬＩＮＥへの登録者を集める方法をお伝えします。

▼まずは見込み客に認知させ、興味を引く

なぜメンバーを集められない人がいるのでしょう？

メルマガ（ＬＩＮＥ）にも登録されなければ、セールスにも結びつかない。理由は様々ですが、最も大きな原因は、単純です。

知られていないからです。

「バズる」なんていう言葉があるけれど、よくあるパターンはインフルエンサーが紹介したらとてもヒットしたというパターンです。これって、ただ多くの人に認知されたというだけの話です。

メルマガ（ＬＩＮＥ）の登録者を増やすにしても、サロンをセールスするにも、まずは存在を認知させる必要があるのは言うまでもありません。

10人が認知したら2人メルマガに登録するのなら、１００人が認知したら20人が登

録することになります。

また、サロンを紹介して入会する割合が1割だとしたら、20人の中から2人が入会することになります。

サロンメンバー1人を集めるために必要なメルマガの認知数は何名になるか?

100名の認知で2人入会するのだから、1人集まるのに必要な認知数は50人となります。(あくまで入会率1割で計算した場合の話です)。

とてもシンプルな方程式ですね。

逆に認知されない限りは誰も入会しないということです。

まずは認知されること。この単純な事実を、忘れないように注意してください。

では、認知されるにはどうしたらいいのか?

無料でそれをするための代表的な方法をご紹介しましょう。

誰もが使いやすいのはブログとSNSです。

例えば僕が立ち上げたブログの最高月間アクセスは223万です。あまりに人気すぎてサーバーがパンクしてしまったほどアクセスが殺到しました。

ブログは代表的な認知をとれる方法と言えるでしょう。とはいえ、ここまでの大量アクセスを集めるのはちょっと大変です。

ですが自分が気になる人が「何かをやっています！」という時に、まずブログや公式ページがないか確認する、という人は多いので、そのために作っておくのは効果的です。

次に、TwitterやInstagramなどのSNSはどうでしょうか？

SNSにも様々な種類がありますが、初期メンバーを集める段階で解説した通り、基本的にはこちらからアプローチすることで認知度を高められるでしょう。それも、見込み客を狙ってアプローチすれば、さらに成約率も高まってくるでしょう。

つまり、同業者のフォロワーにアプローチしていけば、あなたの発信に興味がある人が集まるというわけですね。

ざっくりお伝えすると、ネイルサロンなどの視覚に訴えかけたかったり、女性がターゲットであったりすれば、女性ユーザーの多いInstagram、40代～50代にアプローチするならFacebook、マニアックなユーザーがターゲットならＴｗｉｔｔｅｒといった具合に使い分けましょう。

どれが最適かはやりたいことのジャンルによるので一概に言えませんが、本気でやるなら代表的なＳＮＳは全てテストするくらいの気持ちでやってほしいと思います。

◆間違いだらけのＹｏｕＴｕｂｅ集客方法

ＹｏｕＴｕｂｅを活用する場合、気をつけておくべきことがあります。

よくある間違いが「チャンネル登録者数」を増やそうとすることです。そして「視聴回数」を増やすことを目的にすることです。はっきり言って、ここを頑張るのは徒労です。空回りする可能性が非常に高いでしょう。

確かに、どちらも多いに越したことはありませんが、そこだけを目指すのはＹｏｕＴｕｂｅｒがやることです。

何かをセールスする人は、そこを第一に目指したりしちゃダメです。

それらはおまけくらいの感覚で、目指すべくは**「メルマガやＬＩＮＥに登録してもらうこと」**です。

再生数50回でも、10人がＬＩＮＥやメルマガに登録してくれれば大成功だし、1000回の再生があっても登録ゼロなら意味がないです。

そのために、あなたの見込み客が集まる動画を作ればいいのです。

なんでわざわざＬＩＮＥやメルマガに登録してもらう必要があるのかって？

一つは、それが「こちらから連絡できる媒体」であること。動画は基本的に、あちらが見る気がないと見られませんからね。

もう一つはそれがＹｏｕＴｕｂｅのアカウント凍結に対するリスクヘッジになるからです。

さらに別の理由としては、マーケティングで重要なリサーチをするためのアンケートを取ったり、一対一のやりとりをすることで関係を深めたり、いいことずくめだからです。

個人メディア時代において最低限押さえておきたいのは、消費者の価値観が多様化しているということです。これはつまり、テレビに代表されるマスメディアが益々きつくなるということでもありますね。

とんねるずのレギュラー番組がなくなった時に、とんねるずは時代錯誤だとか言われていたけど、僕に言わせれば時代錯誤じゃあありません。

単純に、視聴者の選択肢が爆発的に増えたことで、とんねるずから離れていった人がたくさんいたというだけです。その一方で根強いファンもたくさんいます。

その証拠に、貴さんが開設したYouTubeチャンネル「貴ちゃんねるず」はたった一週間で50万人以上がチャンネル登録したのだから、時代錯誤であろうはずがありません。

時代錯誤だとしたら、こんな短期間で、こんなに大量の人がチャンネル登録をしません。

そうではなくて、時代錯誤なのはテレビを代表とするマスメディアなのです。逆に言うと、個人メディアの潮流は益々太くなっていく。

だからこそ個人ビジネスをしている人にとって、今、そしてこれからがとてもいい時代になっていくのです。まさにやったものがち。

今、ＹｏｕＴｕｂｅｒをみて、自分も昔からやっていればと思った人はたくさんいるでしょう。インターネットを使った個人ビジネスはまさに今、昔のＹｏｕＴｕｂｅｒの立ち位置にあります。特にサロンビジネスはその筆頭と言えるでしょう。

あとになって、やっておけばよかったと思わないために、今から少しずつでもやっていくことを勧めます。

さて、とはいえ、個人メディアの時代になったからと言って、ただ人気ＹｏｕＴｕｂｅｒの真似をしたり、芸能人やスポーツ選手の真似事をしたりしてもダメです。勝てるはずありません。（笑）

繰り返しになりますが、あなたがＹｏｕＴｕｂｅですべきは、あなたの見込み客を集め、価値を与え、見込み客のリストをつくることです。

見込み客リストが作れたら、次は「見込み客が、何を求めているのか」を把握する必要があります。

年齢は？　性別は？　職業は？　なぜ、あなたの動画を見てくれたのか（つまり悩みは何か）？　をなんとなくではなくて、アンケートをとって数字で把握していきます。

これができたら、あとはそれらを汲み取りながらコミュニケーションを取ってサロンを販売すれば自ずと売れるというわけです。

改めて言いますが、ＹｏｕＴｕｂｅは「見込み客リストを作る」ためだけに運用しましょう！　再生回数に惑わされないようにしてくださいね！

◆クロスメディア戦略で効率を最大化する

メディアをさらに上手く使うコツは、クロスすることです。

ＳＮＳやブログ、ＹｏｕＴｕｂｅなど、使えるメディアは色々ありますが、それぞれを単独で使っていたらもったいない。

上手く使うには、各メディアでメリット・デメリット、得意・不得意の分野があるので、それらを相互補完するような形をつくることです。

例えば、ＳＮＳの投稿は最新のものからタイムラインの上に積み重なっていく仕組みです。つまり、ユーザーが、過去の投稿まで遡って見るような設計になっていません。

過去にすごくエネルギーを込めて書いた良い投稿があったとしても、誰にも見てもらえないなんてことになるわけですね。これはもったいない！

そういうコンテンツの置き場に適しているのはブログです。

でも、ブログは基本的にアクセスが集まるまでに早くても数か月かかります。

その間はほとんど誰も見に来てくれないので、必然的に集客ができません。

そこでSNSと組み合わせるわけですね。

SNSはブログに比べると投稿が流れやすく、積み重ねができませんが、かわりに即効性があります。

つまり、あなたのSNSに「ブログを更新しました。URL――――」と投稿すれば、その日のうちにアクセスが集まりだすわけです。

SNS　YouTube

←

ブログ

と、各メディアを相互補完していく形でメディアをクロスさせていきましょう。

◆使い回し戦略を使い省エネでメディアを育てる

「たくさんのメディアをクロスさせるってことは、労力がハンパなくない？」と思った方もいるかも知れません。

確かにメディアを増やせば増やすほど、労力は増えていくことになりますが、僕はいつも最小の労力を目指しています。

例えば、ＹｏｕＴｕｂｅとブログとＴｗｉｔｔｅｒを使うのであれば、

動画撮影

↓

ブログに動画を埋め込んで記事を書く
↓
Ｔｗｉｔｔｅｒで動画のＵＲＬをつぶやく
（Ｔｗｉｔｔｅｒの一番上の投稿に集客ページのＵＲＬを固定しておく）

などですね。
こうすると、一つの動画をブログにもＴｗｉｔｔｅｒにも使いまわせるので労力が少なくてすみます。もっと言ってしまうと、これをしながら、

Ｔｗｉｔｔｅｒのフォロワーを集める
↓
ある程度つぶやきが溜まったら、ＴｗｉｔｔｅｒのつぶやきをＢＯＴ化（ツールにより自動化）する

こんな感じです。
こうするとほとんど自動で集客ページにアクセスを集め続けることができるわけで

すね。

ただし、集客ページにどれだけアクセスを集めたところで、アクセスだけではまだ成約には至りません。あなたの商品やサービスを購入し、参加してもらうためにはどうしたらいいんでしょうか？

◆信頼を得る

商品を購入してもらうなど、あなたのオファーを受け入れてもらうために最も重要なことはなんでしょうか？　**それは「信頼」です。**リスクと信頼を天秤にかけた時、信頼の方に傾けばあなたのオファーは受け入れられます。

なので価格が高かったり、リスクが高かったりするものほどたくさんの信頼が必要になります。あなたのオファーが受け入れられるかどうかは、リスクと信頼の天秤次第なのです。

例えば、商品を購入してもらうためには、１００の信頼が必要だったとします。

でも初見で１００の信頼を得られないのであれば、その後の接触によって信頼を積み重ねていく必要が出てきます。

ここで問題が出てきます。**「じゃあ、どうやって信頼されたらいいの？」**という問題ですね。


そこで重要なのが、これまで何度も何度もお伝えしてきた**「顧客リスト」**なのです！

◆信頼を使ってメルマガ（LINE）に登録してもらう

顧客リストの重要性は、強調してもしすぎるということはありません。

インターネットの世界で言う顧客リストとは、メールアドレスやＬＩＮＥ登録のことを指すことが多いです。

なので、それらを登録してもらう「登録ページ」を簡単でいいので作っておきましょう。これは無料レンタルのHPでもいいですし、登録用の1ページだけのサイトでもいいでしょう。

信頼のないところから初見でいきなり商品をオファーしても購入されることはほぼほぼないでしょう。それはハードルが高すぎるからです。

でも、メールアドレスならハードルが下がりますね。名前も必要なければ、さらにハードルが下がります。

このように、少しずつハードルを下げる用意をすることで、距離を縮めやすくなるのです。

「簡単で」と言いましたが、なるべくここでは「あなたがどんな人なのか？」がわかるような文章や動画を埋め込んでおいたり、プレゼントを用意したりと、とにかくメールアドレス（ＬＩＮＥ）登録をしやすくするとよいでしょう。

「プレゼントって何をすればいいの？」と疑問がわいたなら、ここでもアンケートの出番です。何をプレゼントすればいいかもアンケートを取りましょう。

お客さんに聞くのが一番です。

メルマガ登録フォームを設置する前の段階で、アンケートフォームを用意して「どんな悩みがありますか？」ときいてみてもいいかもしれません。

ある程度の需要がわかったら、それをプレゼントとして用意すれば、メルマガ登録されるのは必然です。

そうそう、これがよくある失敗なのですが、兎にも角にも何かをオファーするということは信頼が重要なのは前述した通りです。

それなのに、プレゼントが無料だからといって手抜きをしてしまう人が少なくありません。

「無料だから、渡すものも無料相応で、適当でいいか」ということですね。

でも、これでは信用を失ってしまいます。「せっかく登録したのにしょうもない」と信用を失って、あなたのメルマガは二度と読まれなくなってしまいますのでご注意を！

「こんなの無料で渡しちゃうの!?　やばすぎ！」となるぐらいでちょうどいいです。

僕のLINEを参考にしてみてください。最初に渡すものは、あなたの今後の信頼がそこで決まると思うぐらいで臨みましょう。

◆メッセージのやりとりでさらに信頼を積み重ねる

メルマガに登録後、読者にとってはどうでもいい○○％ＯＦＦキャンペーンを連発してくる業者さんが異常に多いですが、あれは絶対やっちゃダメです！

あれは世にいうスパムメール、迷惑メールというやつです。

そうではなくて、あなたの商品（オンラインサロン）をオファーするまでに信頼を積み重ねることだけを考えましょう。

そのために人柄や実績、信念や活動を、読者を啓蒙するように発信します。また、読者の役に立つ情報を届けることも意識しましょう。

文章でも音声でも動画でもどれでもいいんですが、とにかく読者にとって有益な情報を伝えていくのです。

と同時に、あなたが後日商品をオファーした時に、購入されるような情報を伝えていって、購入しない理由をなくしていきます。要するに、あなたのサロンに入るべき理由を伝えていくわけです。

読者が常に次のメールを待ちわびるようになってくれたら、最高ですね！

僕は週刊少年ジャンプを読みたくて、毎週月曜日を待ちわびているのですが、ちょうどそんな感覚にしていきましょう。

それを踏まえた上で、メールでの最大のポイントは何になるか？　ですが。

それは、登録直後に送る1通目です。なぜなら、1通目が一番読まれるからです。

なので1通目で読者に信頼され、2通目を「読みたい！」と思ってもらえるような内容にするように脳みそをフル回転させましょう！


1通目と言ったけど、1通目の中身は動画や音声でも構いません。その場合は、その動画や音声に頭を振り絞りましょう！

念のため補足しておきますが、メール配信の間隔に決まりはありません。

ただ、一回目のオンラインサロン登録への勧誘までは、毎日配信するのが良いです。

あなたに好意を持ってもらうために、心理学で言うザイオンス効果を使います。

と言うと小難しそうに聞こえるけど、要するに接触頻度が高い方が好意を持たれやすいというだけの話です。（もちろん、嫌がられるメールを送っていたら別ですよ）。

なので、はじめは、とにかく毎日メッセージを届けるのがお勧めです。

単純に、なんとなく登録したメルマガなんて、一日経てば登録したこと自体を忘れてしまうし、内容だってほとんど覚えていないものですからね。

せっかく登録してもらったのに、月1回のペースで送っても、次の月には必ず忘れています。読まずに「ぽい」です。そういうペースに落とすのは、信頼関係ができてからにしましょう。

メッセージのやりとりに関してはとても重要なポイントです。

なぜなら、あなたの「入会しませんか？」というオファーが受け入れられるかどうかは、オファーの前までが勝負だからです。

初対面の人にいきなり「結婚してください！」とオファーする人がいないのは、なぜでしょう？　そんなことしても断られるからですね。（笑）

だからまずは関係性を深めて、そろそろ潮時だと言うところでプロポーズをするわけですよね。

大事なのは「幸せにするので結婚してください！」というオファー内容よりも、むしろあなたと家族になる未来に期待を持ってもらうことと、その言葉に信憑性を持たせるそれまでの言動です。

これと同じで、商品を購入してもらえるかどうかも、その前の段階が重要なのです。

つまり、あなたの商品を購入した未来に期待を持っていることと、商品説明に嘘がないと信用されていることです。誠実さですね。

では、そのためにどんなメッセージを届けたら良いのでしょうか？

◆メッセージの内容は相手次第

見込み客にあなたのオファーを受け入れてもらうために、どんなメッセージを送ったら良いのでしょうか？　そのためには、相手のことを知る必要があります。

当たり前ですね。

僕の生まれ育った焼津という港町では、釣りをする人が多いんですが、釣りをする時は狙った魚の習性を理解している必要があります。

相手がエビ好きならエビ、イソメが好きならイソメを餌にします。

夜行性なら夜釣りにしますし、光に寄ってくる習性があるのなら電気をつけます。

全部相手に合わせて設定していくわけですね。

何かを販売する時もこれと同じです。

相手を理解して、相手に合わせてメッセージを送ります。

なのでまずは、相手をはっきりさせなければいけません。そして、相手に響くようなメッセージを送るわけです。

ただ、相手がイマイチわからないという方が少なくありません。

でも大丈夫。そんな時にお勧めなのは、その商品を作ろうと思ったきっかけを思い出すことです。

僕がビジネスを学ぶサロンを作ったきっかけは、**「世の中に貢献したいという人たちが、しっかりと活動ができるようになるための収入の地盤を作ってほしい！」**という想いからでした。なので相手は、世の中への貢献意識がある人たちです。

では、なぜその人たちが相手なのか？

それは、僕自身に世の中への貢献意識があること。そして、これまた僕自身が、数年前までお金がなくてヒーヒー言っていたからです。

つまり、僕の場合はかつての自分がそのまま相手になったわけですね。自分が経験してきたことだから、何を伝えたら響くかなんて手に取るようにわかります。これはよくあるパターン1です。

よくあるパターン2は、既にいるお客さんですね。

その商品を構想したきっかけを思い出していくと、**「こんな人のためにこの商品を作ったんだった！」**と思い当たることも結構多いです。だとしたら、答えは簡単。その人に響くメッセージを送ればいいのです！

その人にメッセージを読んで意見をもらえれば、同じような人たち（ターゲット層）に響くメッセージにブラッシュアップしていけます。

ただしここで注意点があります。それは、**「相手に合わせすぎるな」**ということです。相手が大事とここまで言っておいて、これを言うのは手のひら返しをするようですが、決してそうではありません。

個人メディアの時代は、あなたがあなたの発信したいことを発信して、それに共感した人がサロンのメンバーになります。

それなのに、相手に合わせすぎて、発信内容が変わってしまったら、それは本末転倒です。やりたいことだけやる「ゼロ時間労働」を目指すはずが、やりたくないことをやる労働時間になってしまいます。

10億円規模のビジネスをするのであれば、最大公約数を狙ってマスマーケティングを仕掛ける必要があるのかもしれませんが、個人メディアのマーケティングは、むしろパーソナルマーケティング。少数狙い、狭く、そして深くです。みんなに好かれる必要は全くありません。

つまり、お客さんになる人は10万人に1人で十分だ。いや、100万人に1人でも良い。それだけでも日本に120人いる計算になります。

一人で運営していると仮定して、月謝が1万円なら毎月120万円の収入となるわけです。だったら日本人の100万人に1人にしか、共感されなくても、それで十分でしょう？　だから、相手に合わせて商品を作ったりメッセージを届けたりはしても、合わせすぎてはいけません。あなたの本音に共感する人にだけ、サロンメンバーになってもらいましょう！

◆メッセージの肝

メルマガに登録してくれたのは、ロボットではありません。人間です。
人間同士のやりとりなのだから、信頼を得るためには当然順序があります。
どんな順序を踏むのでしょう？

◆なぜ、あなたのメッセージを読む必要があるのか？

最終的なオファーに繋げるにはまず、「なぜ、あなたのメッセージを読む必要があるんですか？」の壁を突破する必要があります。

この壁を突破するためのポイントは以下の二つだけです。

- **信頼されること**
- **価値がある情報が届くと伝えること**

それぞれコツをお話しましょう。

(1) 信頼されるためのコツは？

信頼されるために、自己紹介をしたり、実績を伝えたりします。

もちろん、これは相手に合わせて伝える必要があります。

例えば、僕は子育て中の2児の父で、会社の経営者で、ビジネス系のサロンをやっていたり、月間100万アクセスと200万アクセスのブログを作ったりしています。Ｗｅｂ広告の運用が日本トップクラスに上手いと自負していますが、主婦が相手の場合は子育てについて伝えますし、経営者が相手なら、広告が上手いとか、ビジネス書を出版しているとかその辺りを伝えます。

相手に合わせて伝えるって、こういうことですね。

ありとあらゆる過去を打ち出すのではなく、相手に響く実績や想いだけを打ち出します。

（2）価値がある情報が届くと伝えるコツは？

「価値がある情報が届く」と伝えるには、1通目で価値のある情報を伝えることです。ただ、ここで注意したいことがあります。価値は人それぞれだってことです。

価値があるというと、儲け話とか実用的なネタとか、そういったことだけが価値だと思ってしまう人がいるけどそうではありません。楽しい時間なんていうのも価値です。

僕は江頭2：50のYouTubeチャンネルを時々見るんですが、お笑いチャンネルなので、実用的なはずがない。でも、ただただ笑えるし、面白い。面白すぎて次の動画を毎回楽しみにしています。（笑）これも価値ですね。

つまり、相手によって価値の種類が違うので、あなたの相手に合った価値を毎回必ず届けることが重要です。そして、1通目に限らず、毎回必ず次回予告をして、次回受け取れる価値が何か？　を伝えましょう。

「次回は〇〇について解説します」といった具合ですね。プレゼントを用意しておくのも有効な手段です。

1通目で「なぜ、あなたのメッセージを読む必要があるんですか？」の壁を超えたら2通目も読んでくれます。

2通目以降でも必要な情報を伝えて、商品を紹介しましょう。

もちろん、このようなメッセージを毎日手動で送るのは手間に感じることでしょう！

なので、あらかじめ配信設定をしておけるメルマガ（ＬＩＮＥ）配信システムを使うと非常に便利です。

登録したら、これこれこういうメッセージが勝手にいくようになるというわけですね。予算次第ですが、積極的に使うことをお勧めします。

さて、ここで一旦、ここまで解説してきたオファーまでの流れをまとめておきましょう。

まず、集客やセールスの前に決めておくのがサロンの「ジャンル」。

ざっくりまとめると、

・のめり込んでいること

・誰にも理解されないような趣味

- **人に教えることができる技術**
- **必要にかられて身につけた技術**
- **何のスキルもない時はスキルのある人と組む**

の中から決めます。

サロンの活動場所は、リアルタイム活動の場はＺｏｏｍがお勧めです。コンテンツ置き場としてメンバー限定サイトを用意し、交流の場はＦａｃｅｂｏｏｋグループやＬＩＮＥグループなど、これらから好みの場所で決めます。

それから、

メンバー限定サイトに初期段階で必要になるであろう「このサロンの使い方」のようなコンテンツを追加する

↓

身近な人に声をかけたり、Ｗｅｂ集客を駆使したり初期メンバーを集める

↓

メンバーを育てながらあぶりだされた必要なコンテンツやリアルタイム活動時に録

画した動画などを追加していく

ここまでが、サロンの初期の環境設定です。

次にさらに集客して、サロンを自走させる段階に入ります。

つまり、以下の流れのように、この章で伝えてきた集客とセールス手法を使うのです。

ＳＮＳ、ブログ、ＹｏｕＴｕｂｅなどで存在の認知を促す

↓

集客（メルマガやＬＩＮＥに登録）

↓

自動でメッセージを送る

↓

有料サロン（商品）に誘う

と、こんな流れですね。

さて、ここまではなんとなくでも把握できたでしょうか？　もしそうなら、次なる

疑問が生まれてくるでしょう。

「サロン（商品）に誘うってどうやるの？」という疑問ですね。

次は、この疑問を解決していきます。

◆見込み客を「有料のサロン」に誘う

・有料サロンに誘う

前述の通り、オファーが上手くいくかどうかは、オファーの前まででほぼ決まります。逆に言うと、オファーの段階では、これまでのまとめと、オファーする商品の詳細を伝えるだけですね。

そのためにやることですが、これは販売ページを用意する事が多いです。

どのような方法でサロンに誘うのかはお任せしますが、ここでは成約率を上げるコツを三つお伝えしましょう。

①物語の力

同じものをオファーするにしても、伝え方次第で反応は大きく変わりますよね？　プロポーズの時だって、「結婚してください」なのか「結婚してあげようか？」では大分成約率が変わってきます。（笑）

伝え方ってとっても重要！　じゃあ、どんな伝え方をしたら良いんでしょう？

ポイントは、物語の力を使うことです。

物語の力を使って、イメージをさせること。

例えば、「差別はいけないことだから絶対にやめよう！」ではだめです。キング牧師が演説したように、「私には夢がある。いつの日か、私の4人の幼い子どもたちが、肌の色ではなく、人格の中身によって評価される国で暮らすという夢が」ということです。

同じことを伝えているのに、キング牧師の方が断然響いてきますよね。

このように、あなたの想いを伝える時は、自分のエピソードや未来の展望をイメージさせるように語ると効果的です。

②タイプを分けていく

人間は大きく三つのタイプがあり。オファーもそれに合わせてやると成功しやすいです。

・データ型
数字で説明されないと納得しないタイプです。
・最速最短限定希少型
とにかく最速最短と限定が好きなタイプです
・コミュニティ型
みんながやっているから自分もやる、というタイプです

の三つに分けられます。

そして、オファーの成約率を上げたい場合は、これら三つのタイプに響く情報をできる限り全て伝えます。

例えば、ダイエットサロンをオファーするのであれば、ウエストマイナス13ｃｍ、体重マイナス5kgなどのデータをまず用意します。そして、「それをたった2週間！」などの期間を明示して、最短最速感を出します。

さらに募集人数を限定したり、みんなで和気あいあいとやっている雰囲気の集合写真を掲載したりするわけですね。

よく見るパターンなのでイメージしやすいと思います。

ただし、ここで注意したいことがあります。

それは、ミスマッチな人にまで購入されないようにすることです。

例えば、東京大学受験のための学習塾に、早稲田大学志望の生徒を入れても、その逆でもだめです。

「そんな間違いする人いないでしょ！」と思うかもしれないけれど、これが別の商品になるとやってしまう人が少なくありません。

最速で成果が出ることがウリではないのに、そんな印象を与えたり、お客さん同士の交流などほとんどないのに、さもみんな仲良しのような印象を与えていたり。

人間のタイプを全網羅する意識は量を販売する時は重要だけど、間違った印象を与えてしまわないように調整が必要です。

最速最短限定希少型のお客さんを集客しない場合は、そのようなＰＲはしないようにしましょう。

このように、物語の力＋人間タイプ全網羅をすれば成約率の高いオファーができるはずです。

5章

サロンを活性化させる

なぜわざわざサロンを活性化させる必要があるのでしょうか？

それは、サロンの活性化はメンバーのモチベーション維持に繋がり、行動の継続に繋がり、理想の未来に繋がるからです！


盛り上がっている感を出さない理由がありません。


そのために、全体で相互にコミュニケーションを取るような設計をしてグループの中でリアクションがたくさん出てくるようにしましょう。

ちょっとわかりづらいですかね？

例えば「編み物教室」でレッスンをしたなら、メンバーは編み物を習いに来ていますので、実際にマフラーを編んでみることになりますよね。

僕ならそれをＦａｃｅｂｏｏｋグループに投稿してもらいます。

「画像を見てフィードバックしますよ〜！質問もどうぞ〜！」と言う感じでね。

するとどうなるか？

Ｆａｃｅｂｏｏｋグループのタイムラインにメンバーが一生懸命編んだ素敵なマフラーがたくさん投稿されるわけですね。

そうするとさらに、そのマフラー投稿にリアクションがつきます。

「いいね！」とか「素敵な色〜！」なんていうコメントがつくわけです。

そしてさらに、そのリアクションにも、リアクションがつく。

「ありがとう！」みたいな感じです。

投稿↓リアクション⇕リアクションとなって、メンバー同士の交流が生まれてサロンが活性化していくわけですね。

◆メンバー同士の活動の記録を残す

先程も触れましたが、サロンを盛り上げるためには、「盛り上がっている感」を出すことを意識しましょう。これはサロン運営においてとても重要なことです！

参加した人が内心ですごく満足していても、それが外部の人に伝わらないと活気がないようにみえます。その満足が、表にでてくることがすごく大事になるのです！

これは、そんなに難しくはありません。

ただサロンの活動記録を残すだけでも盛り上がっている感じが伝わりますからね。

セミナー、勉強会、懇親会などの様子をグループに投稿するだけです。

するとメンバーから「今回は参加できなかったけど、次回はなんとかして参加したい！」とか「私の課題は○○なので、次回までに○○をやってみます！」のようなコメントがたくさんついたりします。

そこでメンバー同士のやりとりが生まれたり、質問が来てその場で答えたりするだけです。ちょっとの手間で大きく活性化するので、是非やっていきましょう。

◆メンバーをよく見て、今必要なセミナーをする

リーダーはサロン全体をよく見て、そのタイミングに合った情報（セミナーや教材など）をメンバーに配布していく必要があります。

とはいっても、サロン全体をよく見るってどうやったらいいんでしょう？

数十名くらいのサロンなら一人ひとりを見ることができますが、１００名を超えた

らさすがにそれは難しくなってきます。

その規模になったら、サロンの中でも中核をなすメンバーをよく見ましょう。中核メンバーは全体を写す鏡になっているからです。

あるいは、サロン全体に向けてアンケートを取るのもいいですね。ストレートに「今悩んでいることはなんですか？」のように聞いても大丈夫です。

何度も言うけど、アンケートは本当に便利です。すると大体似通った回答になります。あとは、それらを解決する方法をお伝えするだけです。

アンケートを取ってみると、自分では思いもしなかったところでつまずいていることがよくあります。

特に、無料のGoogleフォームは、かなり使い勝手がいいツールなので僕はよく使っています。

あなたにもお勧めです。簡単ですよ。

◆感想は積極的にもらう

セミナーやコンテンツの感想は積極的にもらいましょう。それによって、内容をブラッシュアップすることが出来るので当然のことです。

この時もらった感想は後々、色んな場面で使える宝の原石です。

例えば、集客するためのブログに掲載したり、販売ページのお客様の声として使ったりと後で宝に化けるので毎回必ず書いてもらいましょう。

◆サロンへの想いを語る

集客の段階で、サロンの理念を伝えているはずです。でも、それっきりではいつの間にか忘れられてしまうもの。

僕のサロンの理念は「世の中に貢献するための土台となる、収入を得るための環境を作ること」なので、個人で稼ぐ方法を具体的に伝えているのですが、稼ぐ系のサロンは下手すると金の亡者を生み出してしまいます。

お金のためならなんでもする人になってしまったり、お金を持っているか、持っていないかだけで人の善し悪しや上下をつける人になってしまったり、などですね。

そうなっては困ります。そういう人を作るために活動してるわけではありませんから。

そうなると活動の意味がありませんので、サロンの理念は常に念頭に置いて活動、発信する必要があるのはもちろんのこと、それを定期的に伝える必要もあるのです。

時には、想いを語るだけの会を催したり、情報を提供する傍らこまめに語ったりしていきましょう。きっとそれを楽しみにしてる人も大勢いるはずです。

◆セミナーの記録をメンバー限定サイトに残していくことで、サロンの資産価値を高めていく

サロンの価値は「コンテンツの価値」と「メンバーの質」で決まります。

では、「コンテンツの価値」はどうやって決まるのでしょうか？

それは単純に「コンテンツの質」と「数」です。
なので当然どこのサロン運営者もそれらを意識しているのですが、不思議なことに、「保存」を忘れてしまっていることが少なくありません。

つまり、せっかく開催したセミナーを録画していなかったり、録画をなんとなくお蔵入りさせたりしたままにしてしまうのです！　これは大半の人がやりがちなので、注意しましょう。

セミナーやZoomの相談会をしたら必ず、メンバーサイトに保存しましょう。
それがメンバーサイトを充実させていくことになり、サロンの価値を高めることに繋がるのですから。

補足すると、保存先は投稿をたどるのが面倒なSNSではなく、資産性のあるメンバーサイトにしましょう。

◆収益の使い所

活性化に関してとても大事な「収益」の使い所をお話しします。

これが、停滞するサロンと、どんどん成長するサロンの最大の差といっても過言ではないので。ここまでお伝えしてきた考え方とノウハウを使えば、あなたはかなりの理想的なサロンを作れるようになっていることでしょう。

あなたの元にはあなたを必要とする人が集まり、あなたの好きなことを伝えることで、メンバーは成長し、理想の未来に進んでいくことができるでしょう。

そして、あなたは得た収益で、これまで我慢していた色々なものを買ったり、出かけたり、投資したりするかもしれません。お金は使うためにあるので、それは全く構いません。

でも、世界は進んでいきます。

それなのに同じところにとどまっていたら、その分サロンの価値が減ってしまうことになります。だからサロン自体も自分も成長させ続けなければいけないし、それができればサロンの魅力が益々高まっていきます。ここまで言えばわかりますね。

そう、サロンの収益全てを、自分のためだけに使うのではなく、サロン自体にも使うのです！ 例えば、僕のいる個人ビジネス業界では顕著ですが、1年前の最先端のノウハウは、今日の時点では誰でも知っているものになっていて、2、3年後には「まだそれやってるの？」という状態になっているなんてことがよくあります。

だったらリーダーである僕は常に最先端のノウハウをメンバーに伝え続けなきゃいけません。成果のでないものを伝え続けていても、価値を感じてもらえるはずもありませんからね。

ですので、収益性の高いサロンにするためにサロンの収益があるのだと思ってもらったらいいのです。

つまり、その収益を使って最新のノウハウを学び、できれば実践してそれをメンバーにシェアするというわけですね。 10万円のノウハウを100人にシェアしたら、それは1000万円分の価値を生むというシンプルな構図です。

原価10万円、価値1000万円。するとサロンの価値がさらに高まる。メンバーも増える。増えれば増えるほど、収益が増える。そしてまた収益を情報に変えてメンバーにシェアするというわけです。

お金のシェアには限界があるけれど、情報のシェアに限界はありません。

ただ、いくつも出てくる全てのノウハウを実践するのは現実的に無理があります。なので僕の場合、最新のノウハウで成果を出している人を探して、自分のサロンでセミナーをしてもらう事が多いです。ここにもサロンの収入を使います。ノウハウの共有と似たような考えで、ツールや場所を作るのもお勧めです。

市場で10万円で販売しているようなツールをメンバー100人分の月謝合計100万円で開発したりします。

それを100人のメンバーでシェアしたとしたら、かかった費用は100万円、与えた価値の総量は10万円×100人分で合計1000万円になります。

1000万円が大げさに聞こえるようなら、1万円で市場価値10万円のツールを使えると思ってくださいね。活動する場所、例えば様々な高額な筋トレマシンをシェアするトレーニングジムなども同じ考え方です。

それから、忘れてはいけないのは自分がバージョンアップし続けることや、挑戦し続けることです。もちろん、軸はブラさずに。

バージョンアップと言っても、何も非の打ち所のない聖人君子に近づこうという話ではありません。ちなみに、これを僕に求められたら結構きついです。やめてください。(笑)

そうではなくて、自分が理念を体現し続け、そこから得たものを伝え続けるということですね。僕のサロンでは、お金を稼ぐ方法を教えているけれど、ただのお金儲けは推奨していません。

お金は世界に価値を与えた対価として回ってくるものなので、何で価値を与えるかをまずは考えてもらっています。

それなのに僕が拝金主義者のように、「とにかく稼げ！　何でもいいから稼いじゃえ！」とか「稼いでる人が偉い！　どんな手段でも偉い！」とやっていたら軸がブレブレなのです。それじゃダメです。

お金が入ってくると、初心を忘れてしまう人が少なくないのでお互いに注意していきましょう！　まとめると、収益の使い方は**「お金を別のものに変換して価値の総量を上げる」**ということを意識することです。

6章

できる限り外注して、運営を「自走」させる

ここではついに「自走」、いかにオンラインサロンを自分の手を離れて運営をさせていくかをお話しします。自分で言うのもおかしいかもしれませんが、僕は手抜きのプロです。（笑）

苦手なこと、やりたくないことは、どうにか自分がやらずにすむ方法を考えます。多分前時代的な価値観とは程遠いわけですが、現代ではむしろこんな考え方の方が生きやすいし、価値を創造しやすいはずです。

だってそうでしょう？

苦手なことを1000時間やるより、得意なことを1000時間やる方が価値が生まれるに決まってます。

「苦手なことでも努力すればいつか報われる」と言うけれど、それじゃ「得意なこと」が報われなくなってしまうじゃあないですか。

得意なことを頑張った方が、喜んでくれる人は圧倒的に多いというのにそれではいけません。

▼自分がいなくても活動する「自走するサロン」をつくる

サロン運営において僕が最後に最も重要視するのがこの「自走」です。つまり、リーダーがいてもいなくてもサロンが走る状態を作ることです。

これを作り上げていくメリットは、

- **メンバー同士に連帯感が生まれ、帰属意識が高まる**
- **サロンが盛り上がる**
- **運営的にとても助かる**

の三つです。

全国津々浦々にいるメンバーたちと会おうと思うと、物理的に難しいし、費用もかなりかさんでしまいます。

例えば僕のサロンメンバーは北海道から沖縄の方まで在籍しているので、全員に毎月会うのはとても難しい。

だから場所を飛び越えられるオンラインサロンでやっているわけですが、逆に言うとそこがオンラインサロンの短所でもありますね。

つまり、オンラインサロンの場合、活動はＺｏｏｍやＦａｃｅｂｏｏｋグループなどがメインで、メンバーと直接会う機会はあまりないので、リアルに比べてどうしても連帯感が生まれにくいし、サロンへの帰属意識も高まりにくいのです。

それはつまり、継続率が下がってしまいやすいということです。

そこが、フィットネスジムのカーブスと違うところ。カーブスというお店は、表面的にはフィットネスジムなんですが、あれは地元のおばちゃんたちの社交の場、つまり実質的にはサロンなのです。

（カーブスが一気に日本のフィットネス市場を獲得したのは、フィットネスジムとしての機能ではなく、サロンとしての機能によるものだと僕は思っています）。

リアルで会えるから連帯感や帰属意識が生まれやすいのです。

では、オンラインサロンでこれを実現するにはどうしたらいいのでしょうか？　そこでお勧めなのは、自分がいなくても同様のことができるような仕組みを取り入れることです。

これは人数が増えてからの話になりますが、具体的には、各地域に地域リーダーを作って、地域のメンバーがリアルで会える場をつくります。

なので僕のサロンは北海道〜九州まで、各地域にリーダーがいて、僕がいようといまいと自主的に勉強会を開いたり、地元の美味しい料理を食べに行ったりと和気あいあいと活動しています。

また、そこに参加することでやる気も保たれやすいし、わからないことを参加メンバーに直接相談したり、情報交換もできたりでいいことずくめです。

そして、そこで撮影した写真であったり、勉強会の内容を、サロン専用Ｆａｃｅｂｏｏｋグループに投稿してもらうことで、全国にいるメンバーからコメントがつくので、まだ会ったこともないメンバーといつの間にか親しくなっていったりもします。

他にも、「私達も勉強会しよう！　みんなで美味しいものを食べに行こう！」と、他の地域メンバーの活動も活発になります。

するとどうなるか？

北海道でも大阪でも福岡でも他の地域でも活動が活動を呼び、同じことが繰り返されます。こうしてサロンの活動の好循環が生まれ、サロン全体が盛り上がるわけですね。自走するサロンの完成です。

ちなみに、僕が全国を飛び回る必要性はないので（とはいえ、みんなに会うのも好きなので毎月どこかの地域には顔を出しているけれど）運営的にはかなり楽になるのはお察しの通りです。

以上が、サロンを活性化する最大のポイントである「自走するサロン」のからくりです。では、ここからさらにサロン運営のコツをシェアしていきますね。

▼現代は相互補完の時代

我慢して苦手なことをやり続ける。まさしくやりたくないことをし続けるなんてもったいないです。

だって、あなたが苦手でやりたくない、ただの労働になってしまうことを、得意として、楽しんでできる、喜びになる、そして、かつあなたと目的が同じ人が、世の中にはいるんです。

だったら、仲間になってもらったらいいのです。

この世界は相互補完ができるのです。

そして、個人メディアの時代では、相互に補完できる相手を見つけるのは難しいことでなくなったのですから。

とはいえ、相互補完をする時には注意してほしいことがあります。それは、相乗効果（シナジー）がなければ意味がないということです。

同じような目標を持った人たちが集まって、同じ才能だけ集めてもシナジーは生まない。「最高のロックバンドを作ろう！」と思って、ベーシストだけ集める人がいないのと同じ理由ですね。

また、違う才能を集めたところで、烏合の衆になってしまっても上手くいきません。かたやロック、かたやクラシック、かたや漫才がやりたいでは、いくら同じステージに立ちたいといってもシナジーはしていません。

相互補完とは相互依存ではありません。単なる集まり、群れではなくて、チームを作るということなんです。

向かう方向が同じ、でも別々の才能を持った人に仲間になってもらうのが理想なのです。

向かう方向が同じというのがピンとこなければ、「2人きりでも気持ちよく呑める人」だと思ってもらったら良いでしょうか。

ちなみに僕のサロンでは、これまでたくさんの人がセミナーをしてくれています。YouTubeの宣伝のプロ、Twitterの専門家、心理カウンセラーの先生、メルマガ（LINE）セールスの実力者、動画プロモーションのプロ、酔拳の元世界チャンピオンなど活動の場所は様々だけれど、誰と呑んでも時間があっという間に過ぎていきます。

▼自分で集客しなくていい

拡大したいタイミングというのは、上手くいっていれば必ず訪れます。

しかし、経験からいえますが「得意なことだけやろう！」と伝えていても、なぜだか集客が苦手なのに、集客を頑張ってしまう人が大勢います。

集客が苦手なら集客を頑張らなくてもいいです。得意な人にやってもらいましょう。

もしくは、便利なツールを使いましょう

たまたま僕は集客がとても得意で、例えば広告を出した場合、メルマガ読者を1人集めるのに専門家が2000円とか3000円とか言っているところを、大体500円前後、それもたった一か月で4000名も集めたりもしているのですけれど、それは僕が得意だからで、もし僕が集客が苦手だったら、得意な人に頼みます。

自分でやろうと思ってやってみる。これは大事ですが、上手くいかなきゃさっさと得意な人に頼んで手放してしまいましょう。

ツールも同じようなもので、いくら僕が集客が得意だからと言って、駅前でビラ配りとかポスティングを朝から晩までやったりしません。

別に前述した方法がダメなわけではないですが、僕は単純にやる気がしないからです。僕にとっては苦痛を伴う労働になってしまうのです。

僕の理想は、嫌な労働をしなくても収入があること。集客は好きだけれど、体を使い続けるのは好きじゃありません。単なる集客ではなく、効率のいい集客を学び、実践し続けることが大好きなんですね。

そんな僕が使っているのが、初期設定さえすませてしまえば、あとはほとんどほったらかしで集客し続けてくれる自動集客ツールの数々です。ツールにはＴｗｉｔｔｅｒ、Ｉｎｓｔａｇｒａｍ、アメブロなどなど、様々なプラットフォーム用のものが市販されていますので、僕はこういった便利ツールをありがたく利用させてもらっています。

広告だって、初期設定こそ1～2日かかるけれど、一旦軌道に乗ってしまえばあとは自動で集客し続けてくれている一種のツールです。

集客が苦手という人は、人に頼むか、ツールをフル活用して苦手な集客を自動化しましょう。浮いた時間で、才能を世の中のために使うのです。

同じ理由で、セールスが苦手なら自分でセールスせずに、人に頼みましょう。

飲食店で使うフリーペーパーも一つのツールです。便利だから使うところが多いですね。ただ、反応が悪いのならば、当然のことながら、文言を変えたり写真を変えたりする必要があります。

でも、どこをどう変えたらいいのかわからない場合もあります。

そんな時は、それが得意な人に頼みましょう。

なお、そういう僕がどのくらい人に頼んでいるかというと、今ではほとんど全て頼んでいます。（笑）

ＹｏｕＴｕｂｅの動画編集、音声の文字起こし、サロンの運営まで頼んでいます。２００万アクセスのブログなんてほぼ全部外注さんに書いてもらったものです。僕がやったのは、ネタを伝えて記事を添削しただけです。

やりたくないことは得意な人に任せましょう！　それでいいのです！

▼より良い情報を届けるために、セミナーは必ずしも自分でする必要はない

サロンで毎月行っているセミナーも、集客やサロン運営に関することでなければ僕がやることはほとんどありません。なぜか？　スペシャリストにやってもらった方が有意義だからです。

僕は酔拳の達人じゃないし、武学の伝承者でもないです。当然、「孫子の兵法」を教えることもできません。心理技術で何万人もセッションしてきていないので、「最強モチベーションの心理技術」を教えることもできません。

どれも僕が教えているビジネス構築には欠かせません。けれど、僕がその道のスペ

シャリストになるには何十年もかかってしまいます。それにそんなことしなくても、それができる人がいるのだから、スペシャリストになる理由もありません。

これを教えるのが必要だからといって、僕が一生懸命勉強して、何年か何十年か経ってやれるようになってから伝えるよりも、**今すぐスペシャリストにやってもらった方が価値の高いものを伝えることができるのですから、むしろスペシャリストを探すことにエネルギーを使った方がいいでしょう。**

僕がやるべきことは、今から習得をプロレベルになるまで頑張ることではなく、スペシャリストとメンバーとの間に入ってわかりやすい説明をしたり、場繋ぎをしたりすることです。

つまり、酔拳の世界チャンピオンが講義してくれた孫子の兵法をどのようにビジネスに応用するのかを伝えることです。

より良い情報をメンバーに渡すために、セミナーは必ずしも自分でやる必要はないのです。

▼各地にリーダーをつくる

サロンを自走させるために、各地に地域リーダーを作ることは前述しました。

そこでポイントになる地域リーダーの決め方ですが、僕の経験上こちらから指名する形がいいです。性格がよく、声が大きい人が理想的ですね。

自分からリーダーを買って出てくれる人は、ありがたいのですが、責任感からか、自分が皆を引っ張っていこうとしてしまいます。言ってしまえば、上下関係、縦の関係を作ろうとしてしまうのです。

でも、メンバーが集まった後の段階では、それじゃ上手くいかないんですね。

皆を引っ張っていくのはメンバーを集める段階ですることです。集まった後は引っ張る必要はなくて、むしろ横の関係を意識する必要があります。

サロン成功の秘訣はそこにもあるので、心のどこかに留めていてください。

そして、できれば地域リーダーにはある程度の実力があった方がいいです。ただ、これは必須条件ではありません。

もしも実力がある人が縦型の関係を作りたいタイプの人なら、その人はサブリーダーのような形にして、メンバーの技術的な質問などのフォローをしてもらい、**地域リーダーは横型の人にしてグループを調整する役についてもらうと上手くいきやすいです。**

とはいえ、実力者はいないならいないでも構いません。

「それじゃメンバーが集まる意味がないんじゃないか？」と思うかもしれないけれど、同じことを学び共に進む仲間と会えるだけでも価値があるのです。

家庭教師と学校の違いのようなもので、学校では勉強以外にも部活やコンクールなど、いろんな価値があったでしょ？

つまり、質問できること自体は、地域グループで受け取れる価値の一つでしかないのです。

それに、そこで出た質問をまとめて全体のグループに投稿したら、サロン全体のリーダーが回答するので、それで済む話でもありますからね。

地域リーダーに突出した実力がなくても構わないという意味が、伝わったでしょうか。

▼細かいことはできるだけ全部メンバーにお願いする

オンラインサロンといえど、場が盛り上がればオフラインで会う企画を立てるのは全く問題がありません。むしろあなたが乗り気なら推奨します。

そうなると、そのための場所が必要になります。しかし、場所の手配が面倒という人は多くないでしょうか。セミナーでもグループコンサルティングでも実際に会う企画をするのなら、場所が必要です。僕もオフラインでのグループコンサルティングを時々開催します。

しかし問題が。場所探しは、僕にとっては面倒でしょうがないことなのです。大体、各地域の土地勘があるわけでもないので地図で見ても、よくわからなかったりするからです。美味しいお店だって全然詳しくありません。（笑）

であれば、その地域のメンバーに開催場所を探してもらった方がいいですね。僕は労力がかからないし、開催地も自分で探すよりもわかりやすく雰囲気もいい場所になる。みんなにとってこれがいいのです。

他にも、サロン向けのメール配信が面倒です。例えばセミナー開催の告知と出欠確認、決済確認、「懇親会だけ参加できますか?」みたいな質問への返答など面倒です。なのでこれも人に任せます。

もっと言ってしまえば、誰が答えても答えが変わらないレベルの質問への回答も任せてしまいましょう。「決済サービスはどこを使ったらいいですか?」とか「Instagramのアカウント開設の方法を教えて下さい」みたいな質問ですね。この手の質問には、僕じゃなくてもいいので、その段階を学び終わっているメンバーに答えてもらうことにしています。

これをやると、メンバー同士のやりとりが活発になるという効果もあるのでやらない手はありません。他にもまだまだあるけれど、**ここで押さえておいてほしいのは、面倒なことはお任せしようということ。**そのために、自分じゃなくてもいいことはどんどん人にふるということです。

そして、自分じゃなければいけないことを減らすために、メンバーを成長させようということですね。もはや得する人しかいません。

メンバーが成長すれば成長するほど、ゼロ時間労働に近づいていきます。どんどん教えつくしましょう。

7章

価値あるサロンの作り方と、その形

さて、ついに価値あるサロンの作り方の話をしましょう。

僕がまだ小学生の時、プールの中を生徒全員で時計回りに歩いたことがありました。これをするとですね、プールに大きな流れができて、ただそこに浮いているだけで先へ先へと流れていってしまう現象がおきるのです。

一度流れができてしまうと、自分ひとりでいるよりも楽に早く進むことができました。サロンの価値はこれに似ています。

つまり、一人よりも楽に前進できて、そして困難なことが起こっても乗り越えていけるように、メンバーの力を同じ方向に定めることによって作られる「流れ」を「意図的」に作りだすことができるかどうかが重要なんですね。

それと同時に重要なのが、その「流れ」の勢いと流れをつくる「場の調整」です。

流れができたら、そこでプカプカ浮いていたいだけの人は浮いていればよいのです。それでも前に進めます。そこで加速して泳ぎたい人は泳げばよいでしょう。プカプカ浮いているより格段に前に進めます。

また、流れの勢いも、ただあればいいというものでもありません。適切な勢いというものがあるのです。

流れるプールくらいの勢いなら心地いいけど、さすがに激流が流れ続けてると大半の人にはキツイ。時には激流もいいのかもしれないけれど、ある程度時間が経ったら休憩が必要です。それが「調整」ですね。と言っても、流れを完全になくすという意味ではなくて、心地いい流れに戻すというイメージです。

具体的に言い換えると、頭を動かす時と手を動かす時を分けるということです。そのために僕はどうしてるかというと、サロン内でメンバーが参加できる企画を定期的に行っています。どんなことをやるとよいのでしょうか？

基本的には次の2パターンがお勧めです。

- **インプット企画とアウトプット企画を交互に行う**
- **前の企画の流れで次の企画を開催する**

この二つです。詳しく解説しましょう。

▼インプット企画とアウトプット企画を交互に行うとは?

これはそのままの意味で、例えば「集客するためのコピーライティング（文章術）」を2週間とか、1か月とかまずはみんなでインプット（学ぶ）する企画を開催します。セミナー配信やコンテンツ配信を行うわけですね。

そしてこの時は例えば、

- **コピーライティングとは何か?**
- **唯一無二のコンセプトの作り方**
- **キャッチコピーの作り方**

などをインプットするというわけです。

それらがおわったら、その次の企画では、実際にそれをアウトプット（実践）します。

先の例で言えば具体的には、インプットした「集客するためのコピーライティング」をブログやYouTubeやチラシなどに応用して、反応をみて精査させていきます。

インプットの時は頭を使うことになりますので、サロンの勢い（流れ）自体は穏やかになる。

その次のアウトプットをする企画では、「今日はこんな発信をしました！」というような実践報告や、実践してみてはじめて出てくる質問が届きます。

そしてメンバーの実践が数字として結果に表われたり、改善案を伝えたりして激流になります！

それはさながら学園祭のよう、ですね。（笑）

こうして「場（サロン）の流れを作ったり、調整していったりするのです。

これが「交互に企画を行う」です。

▼前の企画の流れで次の企画を開催する

これは、シンプルにいえば、必要なものを順次提供していく、ということです。

例えば「集客」ができた人が次に必要とするものはなんでしょう？

利益は「集客」と「セールス」の掛け算です。ということはつまり、次に必要なことはセールスだということになります。（この辺はアンケートを取ってメンバーに確認するのがお勧めです)。

そうやって、メンバーの様子を見ながら次に必要とされるものを提供していけばよいでしょう。

集　客
↓
セールス
↓
サロン運営

というイメージですね。

それをするためにはあなたが学び続けたり、求められるノウハウを持っている人に協力してもらったりするのは何度もお伝えしてきた通りです。

この企画の作り方の二つのコツをつかむと、サロンの価値を高く安定させることができるでしょう!

【サロスク運営イメージをつかもう】

さて、ここまででサロスクの立ち上げ、運営についてのノウハウをお話してきました。最後に、サロスク運営についてイメージしやすくするために、サロスクを運営する場合のスケジュールを見てみましょう。

▼編み物教室の運営について

そこで、編み物教室のサロスクを始めたアミコさんをまた例にとります。

アミコさんは30代で旦那さんと3歳の子供の3人家族で、平日は7時起床、9時〜16時までオフィスに勤務し、その後家に帰って家事をしてお風呂に入って、子供が寝る21時から自分の時間をとれる生活をしています。

土日祝日は夫婦そろって仕事が休みなので、毎週日曜日は家族でお出かけをして、16時に帰ってきてから家事をして、平日同様21時から自分の時間となるようなささやかな幸せをもつ家庭です。

素敵ですね。

そんなアミコさんがサロスクを始めたら？　どんな生活になるんでしょう？

アミコさんの場合は、空いているのはいつでも21時以降になるので、睡眠時間を7時間キープしたいのであれば24時までの3時間が活動可能時間になります。これだけあれば十分です。実際には1時間もあれば十分です。

では、この時間をどう活かすべきか？

21時になって、Ｆａｃｅｂｏｏｋグループを開くと、生徒さんが製作中の編み物画像や動画が色々と投稿されたり、質問がきたりしています。

それらに対してコメントしたり、回答したりとフィードバックすることが平日の日課です。

メンバー数によりますが、例えば１００人いても、日々の質問や投稿は数人程度であることが多いので、15分〜30分あれば十分でしょう。

生徒さんのコメントに答えたり、生徒さんの制作物にアドバイスをしたりするだけであれば、昼食をとったあとの時間や、移動中で余裕があるならその時にフィードバックをしてもいいですね。

これでＦａｃｅｂｏｏｋグループは交流の場として機能します。

では、リアルタイム活動の場としてのＺｏｏｍなどの交流会議はいつやって、頻度はどうすべきか？

編み物のリアルタイム活動をするのに一回2時間程度で済むのであれば平日でも土日でも編み物をするオンラインでのイベントを開催できます。

ただ、現実的には平日は何かと忙しいですし、イレギュラーな予定も入ってくることが多いので、「余裕のある土曜日がいいかな？」と考えるかと思います。

次の日が休みなら、時間が少し伸びたとしても支障はないですからね。

「でも、毎週土曜はキツイな。子供の行事が入ることもあるし、月2回がちょうどいいかな」ということになったら、アミコさんの場合はそれが無理なく続けられるラインになるので、そうするでしょう。

なので、月2回、リアルタイムの活動をやるのであれば、サロンメンバー募集の際には、「編み物ライブは月2回（第2、第4土曜日の21時から）、子供の行事や寝かしつけ失敗等で日時の変更あり」と明記すれば大丈夫です。

月2回が無理なら1回でも構いません。(実際始めてみると、編み物が大好きなので、もっとやりたくなるでしょうけれども)。

あとは、リアルタイムの活動の録画をメンバーサイトで公開していけばコンテンツが溜まっていきます。

公開したら「先日のマフラー編み方ライブをメンバーサイトに公開しました!」とFacebookグループに投稿して周知していきましょう!

基本的には21時〜21時半か22時までFacebookグループを開いてフィードバックをして、月2回だけ2時間ほど大好きな編み物を教えるリアルタイム活動をするといった生活になると思います。

さらに、月日が経ちメンバーの交流も活発になれば、オフラインでのイベントを開催しても人が集まったりもするでしょう。

あるいは、オンラインであっても、何か特別なイベントを企画してもいいでしょう。アミコさんは4か月に一度、作った編み物を実際に見せあったり、交換しあったり、リアルで指導するようなイベントを企画することにしました。

といっても、お店の手配や初心者への指導などは、熱意あるメンバーにお任せです。

よって、特別な負担はありません。

そしてこの活動の一部を、Ｉｎｓｔａｇｒａｍなどに投稿したり、質問を募集して相談にのったり、さらにＹｏｕＴｕｂｅなどにも公開したりします。

するとそれらの画像や動画を観て興味を持つ人がでてきます。

サロンメンバーへのフィードバックと同時にその人とコミュニケーションを取っていると、幾人かは加入者になったりして、サロンの規模も徐々に拡大していくわけですね。

大好きなことをする、基本はこれだけでサロスクが機能します。

普通のビジネスと比べて、なんと簡単なことでしょう。

▼モノローグの運営について

今度は、実際に僕が運営しているオンラインサロンの運営の実態をお伝えしましょう。

何度も紹介した通り、モノローグは僕がパートナーの福田君と2人で運営している、いわゆる「稼ぐ系」のサロンです。胡散臭いと感じる人もいるでしょうが、教えているのは個人メディアを使っての集客と、何らかのスキルやサービスを販売する方法です。

集客の方法と、販売の方法はいつの時代も需要がありますし、最先端のやり方を追求したら終わりもありませんからね。

販売する商品がない人には、商品の作り方も教えています。

全体像としては、入会したメンバーには以下の権利が与えられます（本の執筆時です）。

1：メンバー限定サイトの閲覧権
2：メンバー限定Facebookグループへの参加権
3：月2回のグループコンサルティング（相談会）への参加権
4：各地域で行われるメンバー主導の作業会への参加権
5：オンラインセミナーへの参加権
6：リアルセミナー（ワークショップ）への参加権
7：オフラインイベントへの参加権

8：合宿参加権など：

これだけだとイメージがわかないかと思うので説明をしますね。

メンバーは入会すると、

1：メンバー限定サイトを閲覧します（次ページの画像のようなサイト）

するとそこにはインターネット集客とセールスのノウハウがベーシックなものから、最先端のものまで用意されていて、常に更新され続けています。

もちろん、全てが実践済みの効果が確実なノウハウです。

メンバーはこの中から自分にあったものを選ぶのですね。

とはいえ、初めてやることですし、量が多いので、「どれを選んだらいいの？」となります。

そこで、

Monologue ～Advance～

Monologue ～Advance～ のメンバーサイトへようこそ！

この度は、Monologue ～Advance～にご参加いただきありがとうございます。

動画の視聴について

動画の視聴は、メンバーサイト内のみでできます。

youtubaだと最大の倍速が2倍までですが、VIMEOは最大４倍速で視聴ができるため、動画をご覧になられる場合は、倍速で見ていただると時間短縮になるのでおすすめします。

VIMEOの倍速のやり方はこちら

メンバーサイトの利用について

【本サイトのURLとパスワードの外部流出厳禁】

外部流出が発覚した場合は、賠償請求をいたしますのでご了承ください。

詳しい利用規約は下記をご覧ください。

参加後、必ず利用規約に目を通してください。

規約に対して同意いただけない場合は、参加から1週間以内にその旨をご連絡ください。

参加から1週間以降、規約に対して何も異議申し立てがない場合は、規約に同意したものとします。

利用規約はこちら

福田＆真一@Advanceさんメンバーサイトへようこそ！

メニュー
グループでの交流
【必須】Facebookグループ
各地域のグループチャット
モノコイン
片山真一＆福田りょうたセミナー
スペシャルゲスト講師
福田りょうたグループコンサル
片山真一グループコンサルティング
メインコンテンツ
ライティングの概念や型
Monologue ～Premium～限定コンテンツ
特典
よくある質問
規約

その他
問い合わせフォーム
ログアウト

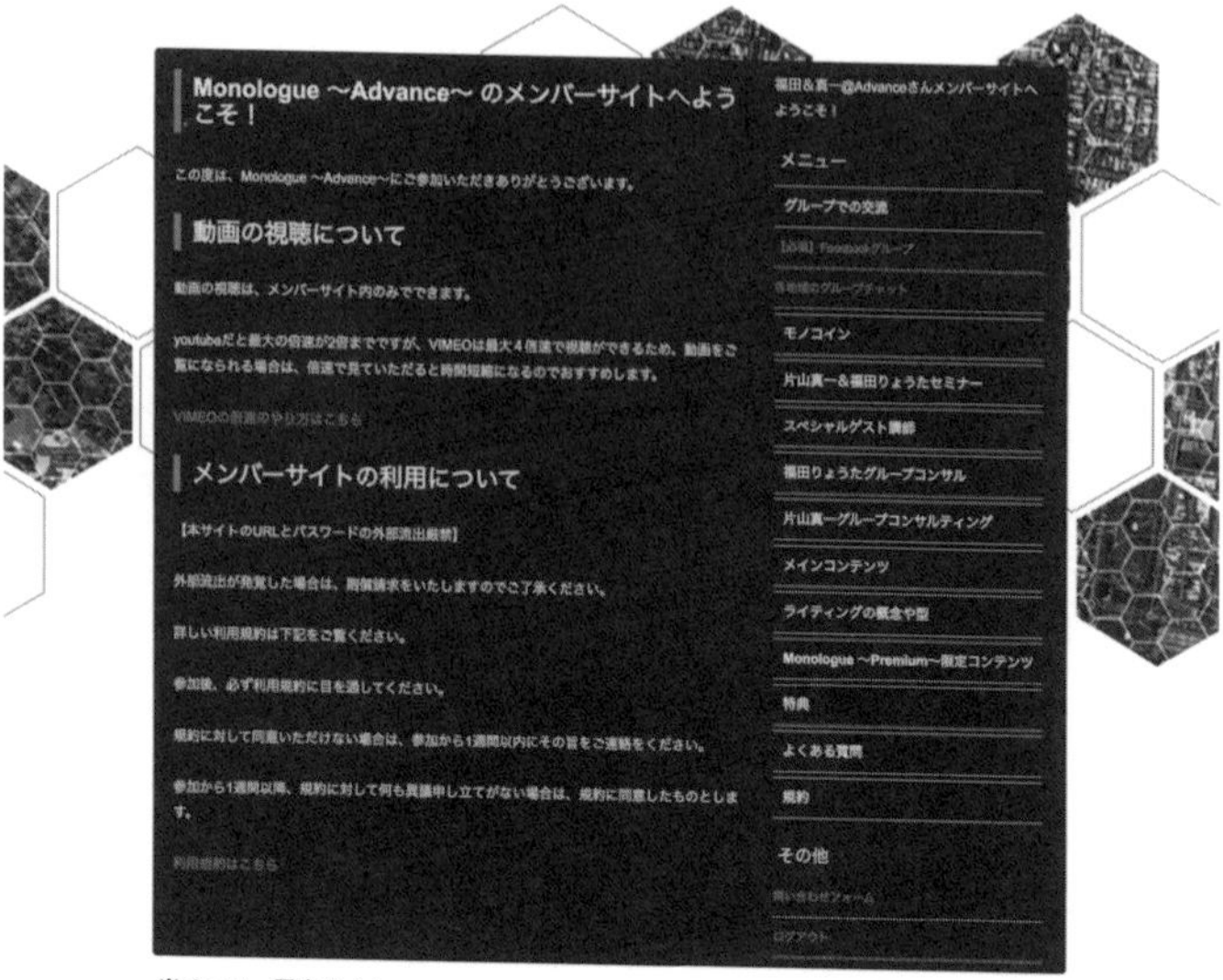

※メンバー限定サイト

© Monologue ～Advance～

2：メンバー限定Facebookグループで質問を投稿します。

　すると僕や先輩メンバーからのアドバイスがもらえるわけです。

「あなたの現状の段階であれば、（メンバーサイトにある）このコンテンツから見ていくといいですよ」みたいな感じですね。

3：月2回のグループコンサルティングの参加権を使い、その時に詳しく相談をする。

　ノウハウがわかっただけで結果が出せるとは限りません。結果が出ないため、モチベーションが下がり、行動が続かないなんてことはよくあることです。
毎日1時間走ったら痩せると言われたって、続かないのと同じことですね。
しかし、そんなことは想定済みです。
なので、グループコンサルティング会の参加券を使い、僕や福田君と話しながら相談してもらうようにしています。

4：各地で開かれるメンバー同士の作業会に参加したりしながら行動を継続していきます。

各地の作業会には既に実績を出している先輩メンバーがいるので、「本当にできるのかな？」なんて初心者が抱きやすい不安を払拭できます。その場で分からないことを相談しても解決できるわけです。

伝えておきたいことがあります。

これからあなたが新しいことを始めて一歩一歩進んでいくと、きっとどこかのタイミングで「弱気な自分」が出てくることと思います。

そんな時は、弱気な自分と、弱気になってしまう自分を否定しないであげてほしい

のです。

弱気な自分がいること、それ自体は何の問題もないのです。新しい事に挑戦するということは、失敗することもあるということ。そうすると弱気になることも当然あります。

ただ、問題なのは弱気な自分を受け入れられないことです。なぜ受け入れられないのか？

それは、弱気になってしまう自分を否定するからです。

言い換えると、弱気になっちゃダメだと思ってるから弱気な自分を受け入れられないのです。でも、人間は弱気になってしまうのだから否定してもしょうがありません。僕だって弱気になることはありますからね。

別に弱気になったっていい。でも、そんな自分と折り合いをつけられず、停滞してしまってはよくないです。弱気なままでも、進めばいいし、進むことはできますから。

「それができたら苦労しないよ！」と返ってきそうですが、理想に向かってチャレンジして、結果的に失敗したとしても、何もしないでいるよりも確実に理想に近づいてます。

それの何が失敗なの？　というわけですね。

僕のサロンメンバーには実践を進めてもらうと共に、「弱気な自分」と折り合いをつけてもらうためにも、サロンメンバーや僕たち運営者と頻繁に関われる機会をデザインしています。

仲間の存在は、弱気な時こそありがたみがよりわかるものです。

5：オンラインセミナー

6：リアルセミナー

これらもその一環ですね。

オンラインセミナーでは僕や福田君が講師をしたり、僕たちの周りの起業家仲間を呼んで上手くいっているノウハウを教えてもらったりしています。実はオンラインセミナーの8割は起業家仲間が講師をやってくれています。（笑）

ここでのメリットは3つあります。

・実践して成果が出ている確実なノウハウをメンバーに届けられること
・しかもそれがメンバーサイトに溜まっていくこと
・僕らは自分のビジネスにだけ集中していればいいということ

の3つですね。

こうしてメンバーは自分にあった方法を選んで実践しつつ、月2回僕たちにオンラインで相談したり、Ｆａｃｅｂｏｏｋグループに投稿したりして疑問を解決して、各地の作業会で仲間と会ってモチベーションを保ちつつ、懇親会を楽しんだり、効果が出やすい最新のノウハウを学んで人それぞれのペースで成果を出していくというわけです。

それだけではありません。
その時々によってテーマや様式は違いますが、リアルセミナーでは例えばワークショップ形式で「コンセプト」を作ったり（これが一人では中々できない）した後、呑みながらのコンサルティング会を行ったりします。

7：オフラインイベント

ここでは、みんなでテーマパークに行ったり、面白い占い師に会いに行ったり、福岡、神戸、東京などの地域のグルメツアーをしたりして遊びながら親睦を深めています。労働感などゼロどころか、すごく楽しいです。（笑）

8：合宿を開催

2〜3日間、僕たちがつきっきりで参加者のビジネス構築に付き合うわけですね。ビジネスのことを考えるのが好きな僕としてはこれもまた楽しみでしかありません。実際メンバーにとっては手厚いサポートだと言えると思います。

僕が忙殺されているのかと言えば、全然そんなことはありません。

なぜなら僕はこの活動が好きで好きでたまらないのです。

それに、もう何年も運営してるので、経験も積んでおり、スムーズに実施できています。一気に語ってきましたが、1番〜8番までのことを実際はそれなりに間を置いて行っていますので、時間的な負担もありません。

僕は、まるで競馬好きが競馬新聞に赤ペンでチェックを入れているような感覚でメンバーの相談に乗っているのです。

合宿はあくまで一例にすぎないので、サロンの価値を高める施策を色々と考えてみましょう。

あなたも、同じようにあなたの大好きなことをすれば**ゼロ時間労働で収入が得られるようになるでしょう。**

ちなみに、前述の通りモノローグの入会金は19万8０００円で月謝が９７００円、１２０名が在籍しています。月謝からの収益をパートナーである福田君と折半している形です。

なので例えば、僕経由で一ヶ月にたった2人しか入会しなかったとしても、入会金2人分と１２０名分の月謝の半分でざっくり１００万円の収益になります。

月に2人なら誰でも集客できる気がしてきませんか？

このように、価値あるサロンは創られます。

ここまでで、サロスクにおいて重要な部分はほぼ伝えきりましたが、いかがでしたでしょうか。

最後に、よくある悩みや相談にお応えして、終わりにしたいと思います。

Q&A

Q：何も教えられるようなことのない私にはできないと思ってしまうのですが。
A：教えられるようなことがない人こそ、ゼロ時間労働を実現しやすいですよ。

なぜなら、人の力を使うという発想になるからですね。

サロン運営には、何か教えられるコンテンツを持っている「コンテンツホルダー」とそれを紹介する「プロモーター」が必要です。

プロモーターという響きから、何か特別な才能がある人をイメージするかもしれないですが、全然そんなことはありません。価値のあるものを自分が発起人になって「これいいですよ」と伝えることができたら、誰でもプロモーターになれます。

あなたがコンテンツホルダーでないのなら、プロモーターになればいいだけの話です。そして、プロモーターになる方法は本書に示しました。

あとはあなたが今日から学び始めるか、数年後に始めるのかというだけの話です。

Q：私は自分以外の人に講師として協力してもらおうと思っているのですが、協力してもらうのに、何かポイントはありますか？　また、私自身も協力をする時のポイントを教えてください。

A：ポイントは三つあります。一つ目のポイントは、これは逆説的になるのですが、協力してもらう仲間をつくるには、まずは理想の実現に向けて自分ひとりでもやり遂げるという覚悟を持つこと。

そして、それを行動で示すことです。つまり、仲間に依存せず、自分の足で立つ覚悟を決めることです。

いきなり体育会系のノリになってしまうけれど、真実なのだからしょうがありません。（笑）

「自分ひとりでもやる！」という人に仲間は集まり、「仲間が集まらないとやらない！」という人には、集まらない。

矛盾してるようですが、これは真実です。

仲間がほしいからこそ、あなたは一人でもやる覚悟を見せなければいけませんし、ある程度は一人で取り掛かることも大事です。

あなただって、人に頼ってばかりで、まだ何もやってない人に「協力してほしい！」と言われたらきっと断るでしょう？　誰だってそうです。

仲間との関係は「協力」であって「依存」ではないのです。


ポイントの二つ目は、「お金だけで繋がらないこと」です。


お金だけで繋がっているパートナーシップほど脆くてトラブルが起きやすいものはない。そんなものは仲間でもなんでもありません。

そうではなくて、まずはお金以外で繋がって、一緒に何か始める時に、はじめて利益配分を決めるという関係が理想的ですね。

僕のサロン「モノローグ」の共同創立者の福田君もそうです。福田君とは元々ビジネスの関係ではなく、「不思議な現象」が好きな友人でした。

元々一緒に海外旅行をするくらい仲が良かったのですが、何をやっているのか詳しくは知りませんでした。旅行先で相部屋になって話をしていてはじめて「集客が得意な僕と、セールスが得意な福田君が一緒にやったら相乗効果高いね！」となったのです。

つまり、まずは「お金の一致の前に、人間的な相性が良かった」のです。ここは大事なので強調しておきますね。

最後に自分が協力するポイントとしては、「下心」を出さず、それでいて「滅私」しないことです。言い換えると、ちょっと損するくらいの気持ちでやるということですね。

ちょっとというのは、自分が犠牲にならない程度のちょっと、です。

一つ例を出してみます。

私事ですが、僕が以前協力をしようとした会社があります。価値のあるものを作っていたのですが、マーケティングが苦手で中々売れないと言う、よくある職人気質の会社でした。

僕はそこの商品をとても気に入っていて、「これは知られていないだけで求めている人はたくさんいるはずだ！」と思ったので「商品販売について協力しましょうか？」と声をかけました。そして、その会社が赤字スレスレの状況であることを考慮した末に、自分にとって非常に不利な条件を提案してしまったのです。

全く下心なし、でも、薄利である。労力を考えると10～20倍くらいの報酬を頂いてもいいくらいでした。でも、「応援したいからこれでもいいか」と考えていたのです。

ただ、どうも気持ちが乗ってこない。「なぜ気持ちが乗ってこないのかな？　おかしいな……」と思いながら数日間過ごしていると、その違和感の正体に気がつきました。つまり、自分でオファーしておいてバカバカしいのですが、薄利にもほどがあったということです。「犠牲者」になっている自分に気がついたのです。

なのでもう一度自分と向き合って、気持ちが乗るような適正な条件を考えてみました。大きく損するでもなく、大きく得するでもなく、少し損して得取る、程度の条件で、です。

そして、それを相手にお伝えすると快諾してくださり、僕の気持ちが前向きになったのです。

もしも僕がそれまでの薄利の条件で協力していたら、やる気が出るはずもありません。そのまま進めても途中で嫌になって頓挫するのが関の山です。それでは相手にも迷惑をかけてしまいますね。いいことをしてるつもりで、迷惑しかかかりません。きっと、尻切れトンボになっていたことでしょう。

でも、ちょっと自分が損するくらいの条件になったからこそ、結果的に心地良い協力関係になったのです。

良い人ほど大きい犠牲者になっている傾向があるので注意が必要です。また、相手を犠牲者にしても同じ理由で上手くいくはずがありません。

なので、「下心」を出さず、でも「犠牲者」にもならない……。

ちょっと損して得取る程度の塩梅で協力することをお勧めします。

以上、

ポイント1：一人でもやる（依存しない）覚悟
ポイント2：人間的な相性を大切にする
ポイント3：ちょっと損して得取る

を意識すれば、協力してくれる真の仲間が現れます。

Q：サロン内で配布するコンテンツは動画、音声、文字&画像など、何で作るのがいいでしょうか？

A：これについては、それぞれに一長一短があります。

例えば心構えを伝えるのなら、文字&画像よりも感情まで伝わりやすい音声の方が優れていると言えますが、編み物を教える時に音声が向いていないのは言うまでもないですね。

編み物なら断然、解説つきの画像や動画です。

では、何でも動画が一番かと言えば、そうでもありません。動画は一度撮ってしまうと一部だけ変更することが難しいですからね。

なので、例えばボタンの位置や見栄えそのものが頻繁に変わるようなインターネットのサービスは、変わった部分だけをすぐに修正できるように文字&画像で解説した方がいい場合もあります。

つまりコンテンツを作る際は、ユーザー視点と運営者視点を持って選ぶということです。**ユーザーにとってどの形式が理解しやすいか？**　そして、長い目で見た時に修正する必要がどの程度出てくるか？　修正が必要なら、頻度はどの程度か？　を考えて選ぶというわけです。

少し難しく聞こえるかもしれませんが、大まかにまとめると、

・イメージがあった方が伝わる普遍的な解説（編み物など）は動画
・イメージがあった方が伝わるが、イメージそのものが頻繁に変化してしまうものは文字&画像
・イメージがなくてもいいものは音声 or テキスト

と考えてもらえたらいいでしょう。

また、主催者自身も、人によって「話すのは得意だけど書くのはちょっと」とか。逆もあるでしょう。それも加味して、適切で負担の少ないものを選びましょう。

Q：サロスクは才能がある一部の人だけが実現できることなのでしょうか？

A：僕はサロスクを立ち上げること自体に才能は必要ないと思っています。

なぜなら、本書でお伝えしている通り、立ち上げ方がほとんど体系化されているからです。**ただし、それがゼロ時間労働になるか、ただの労働になるのかには才能が関係してきます。**

なぜなら、あなたが才能を活かせばゼロ時間労働になり、逆に、才能のない分野でサロンをつくるとそれは労働になってしまうからです。

ただ、今、「才能」の在り処がわからなくても安心してください。

その場合はあなたの「好きなこと」をやれば、好きなことが仕事になった状態、ゼロ時間労働になるからです。

まとめ

本書を通して、「ゼロ時間労働」による収入の作り方を解説してきました。そして、仲間を増やしながらそれを達成するために最もお勧めな方法はサロスクでした。

最後に、全体図をおさらいしておきましょう！

全体の流れは以下の４段階です。

1：事前準備（テーマ、活動場所を決める）
2：初期メンバーを集め、サロンを育てる
3：運営を自走させる
4：自動で集める

細かいノウハウや意識したい点に関しては、もう一度本書を読み返してみてください。そして、サロスクを成功させ「ゼロ時間労働収入」を実現させ、充足感で満たされたあなたの人生を歩んでください。応援しています。

また、この本を読んで、著者である僕や、僕のやっているサロンや、その手法に興味があったら、いつでもご連絡ください。

本の感想なども随時お待ちしていますので、気軽に声をかけてくださいね。

お待ちしています。

【相談・感想はこちらへ】
https://katayamashinichi.com/?page_id=355

最後に、ここまで読んでくださり、ありがとうございました。

あとがき

本書を通して、**「ゼロ時間労働」による収入をサロスクでつくる方法について余すことなく解説してきました。**

ただ、最後にもう一つだけ伝えておきたいことがあります。

本書の内容とは直接は関係ないのであとがきに書くことにしましたが、あなたの未来に関わる重要なことです。

もしかするとこれは、あなたがサロスクを完成させる鍵となる、最も重要なことかもしれません。それはつまり、「モチベーション（動機）の保ち方」についてです。

何かをやり遂げるには、それをやるエネルギーと同時にモチベーションが必要です。ダイエットをするのでも、毎日3ｋｍ歩くくらいのエネルギーはほとんどの人がもっています。それを1年続けたら抜群の効果を発揮するでしょう。でも、大抵の人は3日間やそこらでやめてしまうのです。それが普通です。

1年も継続できる人はほぼゼロに近いでしょう。

なぜか？

それはエネルギーがなくなったからではありません。急に忙しくなったからでもありません。**モチベーションを保てなくなったからです。**

あなたがこれから、本書で解説したことを実践すればサロスクを立ち上げることができるでしょう。そして、この本をわざわざ買うあなたは、それをするエネルギーも持っていることでしょう。

知識もエネルギーもあるのだから、あとはモチベーションを保つことだけが肝要です。ここが成否を分けるのです。

ではモチベーションを保つにはどうしたらいいのでしょうか？

ポイントは大きく分けて二つです。

- **モチベーションを削ってくる人と関わらない**
- **モチベーションを保ってくれる人と関わる**

実にシンプルな話ですね。

これに関して、一つ昔話をしましょう。これは僕がまだ大学生だった頃です。**「年収1000万円いくにはどうしたらいいですか？」**と周囲の大人に質問してみたことがあったのですが、人によって答えが真っ二つに分かれました。

一方は「年収1000万円なんて、まずいかないよ」と可能性を全否定しました。

もう一方は「1000万円くらいだったらたくさんいるよね。例えば〜〜〜」と具体例を出しながら可能性を肯定しました。

そして面白いことに、否定した人はもれなく自分が1000万円に達していない人、肯定した人は自分が1000万円以上の収入のある人か、その後に達成した人でした。

言い換えると「年収1000万円の収入は実現不可能」というイメージで生きている人は可能性を全否定し、「年収1000万円の収入は実現可能」というイメージをもっている人は達成したというわけですね。

何が言いたいか？　**つまり、どちらも間違っておらず、イメージ通りの人生になったのだということです。**

だから大事なのは、あなたがサロスクを成功させたいのなら、自分の可能性を否定しないことです。そして、あなたの可能性を否定してモチベーションを削ってくる人とは、距離をとった方がいいということです。

あなたが今後、うっかり「これからサロスクを立ち上げて『ゼロ時間労働収入』で生きていく」などと言おうものなら、モチベーションを削ってくる人は求められてもいないのに「そんなことできるはずない」という趣旨の、説得力のある意見を述べてくるでしょう。


その人はそれが正解の世界で生きているのでマジで説得力があります。

統計を出すなど、なんやかんやで力説してくる人もいるかもしれません。

十分注意して、遭遇してしまったらさっさとその場を立ち去りましょう。

それが最善です。

意見を戦わせてもしょうがないのです。

なぜならそれは、その人の世界の真実であって、こちらの世界の真実ではないのですから、そもそも噛み合うわけがないのです。そんな不毛なことにエネルギーを浪費してモチベーションを削られてはいけません。それに注意しつつも、モチベーション保ってくれる人とは積極的に付き合うようにしましょう。

そういう存在がいると成功率は格段に上がります。

本書の中で予備校の例を出したのを覚えているでしょうか？　予備校にはチューターがいて、生徒のモチベーションも保とうとしてくれます。

当然、第一志望校の合格率は上がります。ダイエットも一人でやるよりもダイエット仲間と一緒にやる方が続きやすいです。ならばもちろん、サロスクも同じです。


ちなみに、モチベーションを保ってくれる人は必ずしもメンターや仲間である必要はありません。思い出の中にいる人でもいいですし、勇気をくれる音楽や身近な友人でもいいのです。

例えば僕はよく、GLAYの『I'm in love』という曲を聴きながら、子供の頃に母と繋いだ手のぬくもりや、近くの土手を祖母と散歩したことを思い出しています。

2人とも随分前に亡くなってしまったけれど、思い出すたびに僕にエネルギーを与えてくれています。

他にも、ただの学生だった僕を信じてついてきてくれた妻や、人生の辛い時期に支えてくれた親友がいることを考えることがあります。

そして思うのです。ちょっとやそっとじゃへたれられないなと。

あなたにも、温かい思い出や、あなたを信じてくれる存在がいるはずです。

それなら大丈夫。**勇気を持って踏み出しましょう！**

最後に、この本を読んでくれたあなたに感謝します。

一緒により良い世界を創っていきましょう。

また、この本を世に出してくださった自由国民社編集部の三田智朗氏に、感謝します。

著者について

片山真一（かたやま しんいち）

1983年、静岡県焼津市生まれ。

ミチノヒカリ株式会社代表取締役。

月間200時間のサービス残業をしていた会社員時代に、「人生の幸福に」ついて考えた結果、その鍵は「お金の余裕」と「自由な時間」と「良好な人間関係」の3つであるという結論に行き着く。それを得るために立ち上げた2つのブログが月間115万アクセス、223万アクセスに成長する。会社員辞職後は「Web集客」をメインに実績を積む。2019年にパートナーと共に立ち上げたサロン系ビジネススクールでは、クライアントの理想的な「ゼロ時間労働」を構築するためのマーケティングの指導をしている。

装丁・本文デザイン　昆野浩之
編集　株式会社オーイズミ・アミュージオ
企画協力　糸井 浩
編集担当　三田智朗

人生を変えるゼロ時間労働

2021年1月29日　初版第一刷発行

著　者　片山真一
発行者　伊藤滋
発行所　株式会社自由国民社
〒171-0033
東京都豊島区高田３丁目10番11号
電話03－6233－0781
https://www.jiyu.co.jp
印刷所　新灯印刷株式会社
製本所　新風製本株式会社

 ISBN978-4-426-12682-7